P9-DZA-580

El niño
ante el divorcio

Encarna Fernández Ros
Carmen Godoy Fernández

El niño
ante el divorcio

EDICIONES PIRÁMIDE

COLECCIÓN «GUÍAS PARA PADRES»

Director:
Francisco Xavier Méndez
Catedrático de Tratamiento Psicológico Infantil
de la Universidad de Murcia

Diseño de cubierta: Gerardo Domínguez

Juan Ignacio Luca de Tena, 15. 28027 Madrid
Teléfono: 91 393 89 89
www.edicionespiramide.es
Depósito legal: M. 44.910-2002
ISBN: 84-368-1712-5
Printed in Spain
Impreso en Lerko Print, S. A.
Paseo de la Castellana, 121. 28046 Madrid

A mi familia.
Encarna

A Juanjo.
Carmen

Índice

Prólogo

El divorcio, como toda crisis humana, es asunto serio y grave, que merece ser tratado con la mayor dosis de humor posible. «La principal causa de divorcio es el matrimonio» nos apunta Groucho Marx, y tras este aserto indudablemente científico, reposa una gran verdad. Una verdad que surge de los interrogantes sobre la responsabilidad de los adultos en el dominio de las relaciones interpersonales íntimas, la familia, y la maternidad y paternidad.

La familia ya no es lo que era ¿afortunadamente? Los miembros de mi generación han conocido la plena vigencia de los modelos de la familia patriarcal occidental judeocristiana, que hemos recibido principalmente como patrones educativos; en las personas de nuestros padres o hermanos más mayores, como único modelo social y referente de identificación personal; en nuestros abuelos era «ley natural» incontestable.

En esa sociedad el divorcio era anatema. No existía, y carecía de reconocimiento legal, con la única excepción de la hipocresía eclesial en la anulación en el derecho canónico de matrimonios, un fenómeno no obstante marginal, reservado a algunas élites sociales, y discretamente silenciado. La crisis, fragmentación y ruptura familiar por supuesto existía, pero eran «desgracias» que habían de soportar cristianamente las mujeres y los hijos, invocadas a esperar una solución de arrepentimiento y perdón, algo que rara vez deseaban realmente.

Hoy la tozuda realidad con sus datos, nos recuerdan las autoras, es que hay mayor probabilidad para un niño de que sus padres se divorcien o separen, que de que permanezcan unidos. Estamos en un nuevo escenario, con modelos de familia atípicos y cambiantes. Lo anormal (e inmoral) de antes, ha pasado a ser lo más frecuente, y la sociedad de la aldea global difunde por sus medios la «normalidad» de las multifamilias atípicas de la era moderna, transmitiendo el mensaje de normalidad, y en ese escenario, como nos señalan las autoras, el divorcio es *un hecho más dentro de los acontecimientos vitales que todo ser humano puede vivir.* Con ellas, insistiré en la necesidad de normalizar la situación del divorcio como un fenómeno consecuente a la nueva concepción de la familia en la sociedad moderna, que supone globalmente más beneficios que perjuicios para los menores, ya que resultan más afectados psicológicamente en largas e intensas situaciones de convivencia muy conflictiva, para las que la separación deviene como única vía de solución.

El estilo de la obra que tiene el lector en sus manos es ágil y didáctico, lleno de contenidos que llegan con impacto, mediante frases cortas y datos precisos, sin caer en el academicismo ni quedarse en un texto superficial. Aunque será de gran utilidad a los múltiples profesionales que trabajan en este campo (psicólogos, abogados, trabajadores sociales, jueces, entre otros muchos), la obra está dirigida principalmente a los miembros de una pareja con hijos que se encuentra ante la situación de enfrentar un proceso de separación o divorcio, y principalmente «ante» los niños. Hablando con las autoras bromeábamos sobre este libro titulándolo «El divorcio ante el niño», una escena de tinte dramático; primero los padres y madres exhiben la galería de «buenas intenciones»: cómo explicárselo mejor, cómo situarse con el/ella en la nueva situación, cómo ayudarles para que no salgan perjudicados...; después, la manipulación sutil, en búsqueda de mantener intacta la autoestima de los padres que se separan, pero que *si lo hacen bien* seguirán siendo «buenos padres»; y más allá..., la guerra abierta y declarada, con los niños/as como objeto de disputa, manipulación abierta, objetos intermediarios de la agresión dirigida al ex cónyuge.

No es fácil separarse, ni hay dos historias de separación iguales. El ser humano es especialmente sensible y complejo en su gestión de los procesos de *apego* y *abandono* que son centrales en la constitución de la identidad personal, y en la construcción de toda relación significativa. Una extensa literatura científica sobre la elección de pareja y el matrimonio ha mostrado la pluralidad de caminos que se recorren en la elección de objeto amoroso y en la formación de relaciones que conducen a ser pareja, y lo esencial que se desprende es que la participación de los procesos racionales, conscientes, bajo control voluntario, es cuando menos limitada. No elegimos conscientemente nuestra pareja, ni deriva de un análisis racional, sopesado. La pasión recorre otros caminos. Pasión en una escena con otro, y casi es tan difícil tolerar a un otro diferenciado como tolerarse a uno mismo.

Y si no se elige la pareja... ¿Se elige la paternidad o maternidad? La respuesta huelga. La cultura judeocristiana en la que estamos insertos deja esta cuestión en las manos de Dios. Los hijos son cosa de Dios, y por ello no se acepta más planificación familiar que la abstinencia, y como corolario, vendrán los hijos que Dios quiera y cuando quiera. No deja de sorprendernos que se someta a aquellas parejas que «eligen» tener hijos adoptivos porque no pueden tenerlos por medios naturales (v. g., Dios) a la cultura de la sospecha, porque «¡a saber qué oscuros motivos fundamentan esa necesidad!». No caeré en la tentación de banalizar una cuestión tan compleja. Tener hijos es un hecho biológico (o legal), pero la maternidad y paternidad (la parentalidad, en la terminología que yo prefiero) son además complejos procesos psicológicos y sociales. El reto principal que presenta la experiencia de la maternidad y paternidad es la constante elección ética entre dos rutas ¿se trata del desarrollo-complemento narcisista de la propia identidad de los padres o es una experiencia de creación y gozo cultural? Si los hijos fueran solo hijos para sus padres despejaríamos muchos de los problemas que este libro intenta ayudar a resolver. Pero los hijos son «objetos», a veces se toman como objetos propios, como parte de los padres, a veces como objetos intermedios (de manipulación, justificación...), y siempre desempeñan alguna faceta de función transiccional a la medida de las necesidades narcisistas de los padres. Esta objetivación es inevitable, y sólo podemos aspirar a reducirla o paliarla, manteniéndonos *disponibles* para ser usados a su vez como objetos por los hijos, algo crucial para su desarrollo sano.

Los padres y madres son utilizados por los hijos como figuras idealizadas con las que identificarse, y también de quienes diferenciarse. Por ello hay una distancia entre lo que los padres y madres son de hecho y lo que representan. Para los hijos es tan importante un plano como otro. En el plano real, los padres y madres despliegan pautas de cuidado y educación, proveyendo las necesidades de los hijos en diversos órdenes, y también *fallando* en el ejercicio de sus papeles. Las fallas de las figuras parentales al desplegar el cuidado real son inevitables, y si no son continuas ni se producen en todos los niveles, pueden incluso ser saludables, ya que los padres y madres «perfectos» que proveen inmediatamente las necesidades no dejan espacio para que el niño/a despliegue su comportamiento exploratorio, de búsqueda, motor del crecimiento. En el plano simbólico, los padres son *objetos* que el niño/a ha de construir, generándose un espacio de relación simbólica, mediada por la cultura de cada sociedad, en que los padres y madres «representan», son representaciones construidas, tanto estén presentes como ausentes, sean en lo real «buenos» o «malos» padres.

Los niños expresan los conflictos que ellos sufren de diversas maneras, pero principalmente a través de las alteraciones del desarrollo y la patología (psico)somática. «Hablan» a través del rendimiento y la salud, ya que suelen sentirse impotentes para expresar directamente las causas del sufrimiento.

Se sufre por el «conflicto» entre los padres, la percepción de su incapacidad para entenderse, respetarse, quererse entre ellos. Todo cambio-crisis vital está asociado a incertidumbre y potencial sufrimiento. Pero el sufrimiento que observamos en la patología psíquica de niños y adultos está, sobre todo, asociado a la percepción de incapacidad para gestionar-resolver los conflictos, y no tanto a los conflictos en sí mismos. Los niños «ante el divorcio» sienten y padecen su impotencia para ayudar a resolver el conflicto, quieren que los padres dejen de pelear, no saben cómo lograrlo y si se involucran directamente con frecuencia devienen culpados, víctimas del conflicto de sus padres. No es infrecuente que en las disputas parentales los niños aparezcan como el supuesto origen del conflicto, o, como ya he apuntado, objetos en disputa, una figura traumática poco mencionada, se les convierte en víctimas de maltrato.

¿Qué necesitan los niños de sus padres y madres? No pretendo dar una respuesta exhaustiva a tan compleja pregunta, pero podemos reflexionar a la luz de la experiencia derivada de investigadores, padres y niños. Los niños necesitan la provisión de todos los cuidados físicos y psíquicos que evolutivamente requieren. Necesitan una madre (o figura materna) que cuida y sostiene física y emocionalmente, y un padre (o figura paterna) que también cuida y sostiene, pero que puede mantener a la vez más distancia para hacer posible la existencia de la ley. Necesitan identificarse con uno y otro, y también diferenciarse y pelear por lograr un espacio propio, no invadido por el adulto. No necesitan unos padres perfectos, sino figuras reales con las que compartir su desarrollo, figuras presentes, con continuidad (al menos simbólica), figuras capaces de sensibilidad para percibir sus emociones y necesidades, pero también figuras que fallan y se equivocan (aunque no siempre).

Por ello, tal vez los padres y madres que atraviesen una crisis y lean este libro deben, ante todo, reflexionar. Abrir un espacio de reflexión sobre sí mismos, sin usar al otro (cónyuge) como pantalla en la que proyectar sus miedos y déficits, rebajando el tremendo nivel de exigencia que se suele sentir en esos momentos, intentando no desplazar a los hijos sus propios conflictos y dejarles espacio para existir por sí mismos, y disponer y usar tanto a su padre como a su madre, los que tienen, sean mejores o peores. Los niños no están «ante el divorcio» sino ante una nueva etapa de su vida y de la de sus padres, una auténtica reorganización de todos los vínculos, en un momento en que los vínculos son siempre fundantes de la subjetividad del futuro adulto.

En definitiva, aceptemos que aunque tener hijos venga «dado», ser padre o madre es una costosa y gozosa elección donde atravesamos nuestros mayores retos, obtenemos nuestras mayores alegrías, y también sufrimos nuestros más rotundos fracasos cuando no logramos entender sus auténticas necesidades.

ALEJANDRO ÁVILA ESPADA
Universidad de Salamanca

en una madre (o figura materna) que cuida y sostiene [illegible] contingente, y un padre (o figura paterna) que también cuida y sostiene, pero que puede mediar a la vez más distancia para hacer posible la existencia de la ley. Necesitan identificarse con uno y otro, y también diferenciarse y pelear por lograr un espacio propio, no invadido por el adulto. No necesitan unos padres perfectos, sino figuras reales, que les acompañen en su desarrollo, figuras presentes con continuidad (real, no sólo simbólica), figuras capaces de sensibilidad para percibir sus demandas y necesidades, pero también figuras que fallan y se equivocan, aunque no siempre.

Por ello, tal vez los padres y madres que atraviesen una crisis lean este libro deseando, ante todo, reflexionar. Abrir un espacio de reflexión sobre sí mismos, sin usar al otro (cónyuge) como pantalla en la que proyectar sus miedos o deficiencias, regulando el tremendo nivel de exigencia que se suele sentir en esos momentos, intentando no desplazar a los hijos sus propios conflictos y dejarles espacio para existir por sí mismos, y disponer y usar tanto a su padre como a su madre, los que tienen, sean mejores o peores. Los niños no están ante el divorcio sino ante una nueva etapa de su vida y de la de sus padres, una auténtica reorganización de todos los vínculos, en un momento en que los vínculos son siempre fundantes de la subjetividad del futuro adulto.

En definitiva, aceptemos que aunque tener hijos, criarlos y educarlos y ser padre o madre es una costosa y [illegible] tarea, en ella atravesamos nuestros mayores retos, obtenemos nuestras mayores alegrías, y también sufrimos nuestros más rotundos fracasos cuando no logramos entender sus auténticas necesidades.

ALEJANDRO ÁVILA ESPADA
Universidad de Salamanca

Introducción

En pocos años, la separación y el divorcio se han convertido en un fenómeno de gran importancia social en muchos países. Cada año, el número de divorcios aumenta y todo indica que el incremento contemplado en las últimas décadas continuará por algún tiempo. Las causas de este crecimiento son diversas, si bien no vamos a entrar en el análisis de ello por no ser el objetivo de nuestro trabajo. En consecuencia, el número de adultos y niños que se encuentran implicados cada vez es mayor. Es evidente que el divorcio forma parte de nuestra realidad familiar y social más actual, no siendo un fenómeno excepcional.

«Hay países europeos y americanos en los que se considera que aproximadamente el 50 por 100 de los niños y niñas han pasado por la experiencia de la separación o el divorcio de sus padres. En esos países no es exagerada la afirmación según la cual cuando un niño nace tiene más probabilidades de que sus padres se separen o divorcien que de tener un hermano» (Palacios, J., 2000).

En España, la legalización de la ruptura matrimonial ha significado el aumento constante de personas implicadas en los procesos de separación y divorcio. Las rupturas matrimoniales crecen en nuestro país.

A continuación exponemos los datos obtenidos por el Consejo General del Poder Judicial y el Instituto Nacional de Estadística, en un período de diez años (1991-2000).

En la tabla I.1 se muestran las cifras por año de divorcios consensuados y divorcios no consensuados, así como las separaciones llevadas a cabo de mutuo acuerdo y las separaciones contenciosas.

TABLA I.1

Divorcios consensados y no consensuados y separaciones de mutuo acuerdo y contenciosas en España (1991-2000)

Año	Divorcios consensuados	Divorcios no consensuados	Separación mutuo acuerdo	Separaciones contenciosas
1991	11.892	15.332	19.415	20.343
1992	12.099	14.684	19.661	20.257
1993	12.796	16.058	12.846	21.535
1994	13.814	17.708	23.368	24.178
1995	14.895	18.209	25.439	23.935
1996	14.971	17.600	27.227	24.090
1997	16.520	17.627	30.427	24.301
1998	18.089	18.431	32.967	24.424
1999	19.072	17.828	35.685	23.862
2000	20.492	18.481	38.881	24.549

En la figura I.1 podemos observar cómo, al examinar la evolución en estos diez años, destaca la *tendencia a las separaciones de mutuo acuerdo;* a partir del año 1995, las separaciones con acuerdo entre los cónyuges superan a las contenciosas de forma muy significativa. Esta tónica se ha trasladado posteriormente a los divorcios, predominando desde 1999 los consensuados.

En la tabla I.2 y la figura I.2 se indican las cifras globales, contenciosas y de mutuo acuerdo, de separaciones y divorcios en España.

Los índices de divorcio españoles son similares a los de los países de Europa y están muy por debajo del norte o este de Europa.

Actualmente es difícil que no hayamos vivido una separación más o menos cercana a lo largo de nuestra vida: un amigo, un compañero de trabajo, un conocido, un vecino, un hermano, la separación de nuestros padres, nuestra propia separación; incluso lo más frecuente es que hayamos vivido varias o muchas separaciones. Pero no por frecuente pasa a ser un hecho trivial; es un acontecimiento complejo y difícil en la historia de una persona y de una familia; en muchos casos llega a marcar seriamente la vida de adultos y niños durante años o para siempre, si no se dan circunstancias favorables.

No es fácil separarse. La separación es un acontecimiento especialmente estresante en la vida de las personas. Según la Asociación Americana de Psiquiatría, «el divorcio de los padres representa una

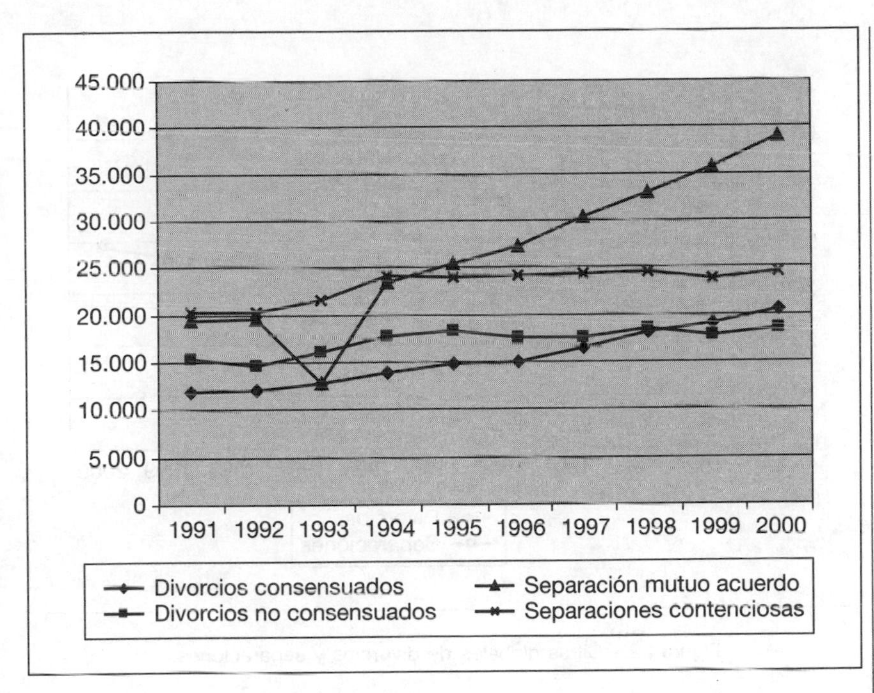

Figura I.1.—Evolución de separaciones y divorcios en España.

TABLA I.2
Cifras globales de separaciones y divorcios en España (1991-2000)

Año	Divorcios	Separaciones
1991	27.224	39.758
1992	26.783	39.918
1993	28.854	34.381
1994	31.522	47.546
1995	33.104	49.374
1996	32.571	51.317
1997	34.147	54.728
1998	36.520	57.391
1999	36.900	59.547
2000	38.973	63.430

experiencia muy estresante para los hijos con consecuencias a corto, medio y largo plazo» (APA, 1987).

Cada separación y divorcio es diferente. Si bien es cierto que no hay dos historias personales iguales, ni dos familias iguales, ni dos

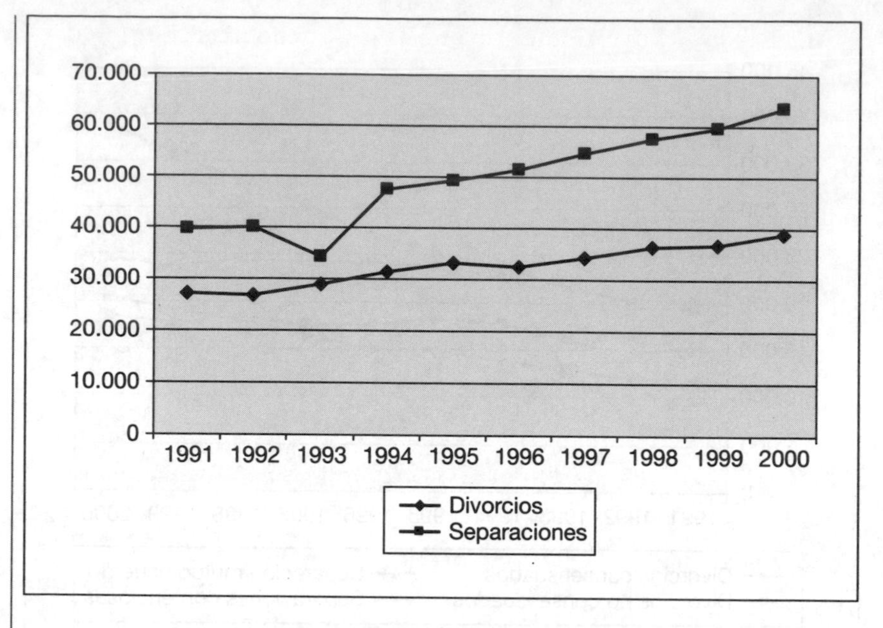

Figura I.2.—Cifras globales de divorcios y separaciones.

rupturas iguales, consideramos que ante determinadas situaciones muy estresantes, como es el tema que nos ocupa, debemos tener presentes algunas ideas que nos sitúan y ayudan a actuar de una manera más sana, adulta y madura.

Durante años de ejercicio profesional en el ámbito clínico y jurídico, una de las cuestiones donde consideramos que existe menos información y formación es en el tema de la separación y divorcio. A pesar de ser un hecho muy frecuente en nuestra sociedad actual y de haber recibido una considerable atención en la literatura científica, continúa existiendo un gran desconocimiento en el abordaje correcto de la ruptura de la pareja con hijos.

En numerosas ocasiones se actúa de forma perjudicial para el menor por desconocimiento, por falta de información adecuada, pero también observamos que existe en los padres variables de personalidad que dificultan el proceso de separación y consecuentemente influye negativamente en los niños: inmadurez, baja autoestima, inseguridad, dependencia. Otras veces, nos encontramos con problemas clínicos diversos que incapacitan a los padres para un proceso de separación de menor riesgo para el hijo.

El haberse convertido el divorcio en un fenómeno tan frecuente conlleva la consecuente preocupación por los efectos que puede tener en la salud psicológica de los niños y por cómo hay que tratar esta situación a fin de minimizar el trauma emocional.

Como expone Claude Martín (1997), a cada época le ha ido unido un determinado riesgo, un paradigma para estudiar las consecuencias del divorcio. A lo largo de los años se ha pasado de entender la separación como una situación con connotaciones de riesgo moral, económico, educativo y psicopatológico a considerarlo como *un hecho más dentro de los acontecimientos vitales que todo ser humano puede vivir.*

El número de preguntas que surgen sobre la separación y divorcio con respecto a los niños es muy amplio, incluyendo aspectos como: informar al niño de la separación de sus padres, qué factores son los que incrementan el riesgo de alteraciones en la infancia tras la separación; o por el contrario, cuáles son aquellos factores que pueden proteger del estrés que conlleva la ruptura; hasta qué punto el impacto de la separación varía según la edad; la concesión de la custodia, la cantidad y naturaleza de visitas al padre no custodio, la transición en la vida familiar de vivir con el padre y la madre a vivir con uno de los dos, la llegada de una nueva pareja a la familia, etc.

El objetivo de este trabajo es dar respuesta a estas cuestiones y realizar un análisis y exposición de todos aquellos factores que consideramos determinantes para que uno de los acontecimientos más estresantes en la infancia no derive en trastornos psíquicos posteriores.

1 Familia, separación y divorcio

«El divorcio no pone fin a la familia, lo que hace es reorganizarla, puesto que los padres lo son para toda la vida.»

FOLBERG (1988)

Durante años han existido planteamientos de alarma respecto de la familia; la familia como institución se consideraba en peligro, en crisis, llegando a plantear el deterioro de las relaciones familiares y su posible desaparición. Actualmente sabemos que este alarmismo ya no se considera justificado. Lo cierto es que el planteamiento de familia actual ha evolucionado y *la familia se ha diversificado*.

Los estudios realizados por la sociología de la familia hacen referencia a cómo a lo largo del siglo XX se han producido dos importantes transiciones en el modelo de familia occidental. En una primera transición, se produce la nuclearización de la familia, compuesta cada vez más por una pareja con sus hijos viviendo separadamente del resto de familiares; dejan de vivir varias generaciones en el interior del mismo hogar, la familia se empequeñece y se aísla. Es el modelo de familia tradicional, donde hay dos progenitores, uno de cada sexo, viviendo como una unidad independiente; las tareas familiares se dividen estrictamente entre ambos, el padre se ocupa de trabajar fuera de casa y es responsable de la economía familiar, y la madre se encarga de la casa y de los hijos.

En las últimas décadas del siglo XX va surgiendo la segunda transición familiar, en la cual la familia nuclear se diversifica en cuanto a su estructura y composición, así como en cuanto a los lazos existentes entre sus miembros. Como parte de esa diversidad se pueden citar las familias monoparentales, las uniones consensuales (sin vínculo legal), las situaciones de separación y divorcio, las familias formadas después de la ruptura de una unión familiar previa, familias donde el padre es el primer responsable de los niños, las familias en las que los hijos no están biológicamente unidos a los padres (por adopción o por alguna de las modernas técnicas de reproducción asistida) y las parejas homosexuales.

En los últimos años, las estadísticas derivadas de encuestas nacionales efectuadas en muchos países ponen de manifiesto que cada vez hay más niños que crecen en estos entornos de familias no tradicionales.

En definitiva, existe una amplia variedad de tipos de vida familiar. *Las familias de separados y divorciados son un tipo de familia,* que forman una parte numerosa de nuestra realidad actual y, por tanto, requiere una atención especial y un análisis detenido.

Durante años, la separación y el divorcio han sido considerados como la última opción posible para una pareja rota o incluso descartadas por sus «admitidas consecuencias en los hijos». Se consideraba que la ruptura de la pareja conllevaba consecuencias traumáticas en los hijos sin que realmente hubiese análisis serios y rigurosos de todas las variables que influyen negativamente en la adaptación a esta situación.

Los estudios sobre los efectos del divorcio han pasado por diversas fases. En una primera fase de la investigación se planteaba que éste tenía consecuencias muy negativas, considerando que la separación o el divorcio de los padres era el origen de determinadas alteraciones psicopatológicas, que marcaban el desarrollo futuro de los hijos. Sin embargo, la investigación actual plantea un análisis más complejo y matizado.

No se puede hablar de separación o divorcio en general, depende de la estabilidad psicológica de las personas que se separan y del modo en que lo hagan para que las consecuencias sean de un tipo o de otro.

Existe consenso general en afirmar que las consecuencias de la separa-

ción y el divorcio dependen de manera muy significativa de cuál sea el contexto en el que la ruptura familiar se produce. «No es lo mismo el mutuo acuerdo tras un progresivo enfriamiento de relaciones, que la confrontación continua. No es lo mismo la tranquilidad que la violencia. No es lo mismo la ruptura que supone una sorpresa para una de las partes implicadas que aquella decisión que es producto de una mutua elaboración. No es lo mismo la separación en medio del aislamiento afectivo y social, que la ruptura en un contexto en el que hay familiares y amigos que van a funcionar como elemento de apoyo. No es lo mismo que la mujer se quede con los hijos en una situación económicamente peor que la que tenían antes de la ruptura, que el mantenimiento del tipo de vida que se tenía previamente» (Palacios, J., 2000).

Asimismo, y continuando con el planteamiento anterior, consideramos que no es lo mismo el menor que mantiene la continuidad en la relación con ambos progenitores, que el niño que pierde la relación continuada con el padre no custodio, que habitualmente es el padre; por otra parte, no es lo mismo que uno de los miembros de la pareja o ambos presenten un nivel de madurez y estabilidad emocional adecuado, que uno o ambos presenten alteraciones significativas. No es lo mismo que se produzcan cambios importantes: vivienda, colegio, amigos, etc., que el hecho de que no sea preciso que dichos cambios se tengan que realizar.

En el proceso de separación están presentes muchos sentimientos: culpa, rencor, lástima, dolor, miedo, alivio, ira, odio, tristeza, etc., y suele ir acompañado de un gran cambio de vida de la familia, con todo tipo de implicaciones, lo que inevitablemente va a trascender a la vida del niño. A pesar de ello, es importante plantearse que la separación y el divorcio no pueden entenderse como un hecho puntual en el tiempo; su impacto puede remontarse a muchos años antes de la ruptura y su legalización conlleva enormes costes, no sólo económicos, sino emocionales. Por tanto, el impacto del divorcio sobre los hijos debe evaluarse desde una perspectiva longitudinal; muchos de los problemas que se atribuyen al divorcio se encuentran presentes ya antes de que éste se produzca.

La salud psicológica del hijo de padres separados está mucho más estrechamente relacionada con la presencia de conflicto en casa que con la separación en sí.

Según investigaciones realizadas, el efecto más poderoso en la salud psicológica del niño lo ejerce *la calidad en las relaciones familiares,* tanto antes como después de la separación de los padres.

No es el tipo de estructura familiar lo que garantiza unas buenas relaciones interpersonales entre sus miembros, sino que, independientemente de la estructura (familia monoparental, familia de padres separados, familia adoptiva...), lo fundamental es la calidad de las relaciones entre sus componentes.

2 La decisión de separarse: divorcio o permanecer en conflicto

Los padres que viven un matrimonio lleno de conflictos, a menudo se preguntan si deben continuar juntos por el bien de los hijos antes de seguir sus deseos personales y separarse. La respuesta a esta pregunta depende del grado de conflictividad de la pareja y de la rabia y agresividad que se vuelque en la separación. Ambas situaciones son igualmente destructoras en su forma extrema.

Resulta difícil establecer cuándo el enfrentamiento y/o el deterioro de la relación entre los padres ha llegado al punto en que puede dañar a los hijos y cuándo es mejor separarse; además de la intensidad del problema, su duración es muy importante.

La decisión de separarse es siempre más difícil si existen niños. Uno de los argumentos más esgrimidos por las parejas en contra de la separación es «el bien de los niños»; pero cuando la pareja decide permanecer junta «por el bien de los niños» y la comunicación entre ambos es fría, distante, marcada por la tensión, el rechazo, el desprecio o la ironía, la pregunta clave sería, ¿qué impacto va a tener este clima emocional en el desarrollo psicológico de los hijos?

Un estudio tras otro vinculan a los progenitores en conflicto con los problemas emocionales y de conducta de los hijos, y cuanto mayor es la discordia, mayor es la proporción de conducta anormal.

> «La desavenencia paterna, sobre todo cuando incluye a los hijos, constituye un factor de morbidez netamente superior al divorcio» (Ajuriaguerra, 1983).

«El conflicto entre los padres tiene una influencia más duradera y destructiva sobre los niños que la propia separación» (Schaffer, H. R., 1994).

Parece que la separación puede ser a veces la mejor opción, si permanecer juntos significa educar al niño en un ambiente de conflictos y tensiones continuas. Así, los niños de familias monoparentales libres de conflicto presentan menos problemas de conducta que los de familias íntegras pero infelices, y aunque a la vista de la gran variedad que existe de una situación familiar a otra, se deduce que el divorcio debe ser visto como una solución positiva con ganancias para los niños además de pérdidas (Block, J. H. y cols., 1986).

«Una casa llena de tensión puede repercutir mucho más en los niños que la resolución de la tensión con el divorcio» (Bird, F. L., 1990).

Algunos investigadores plantean que los niños de familias intactas con un alto nivel de conflictos tienen más problemas de adaptación y de autoestima que los de familias intactas o divorciadas con baja conflictividad (Amato y Keith, 1991; Amato, Loomis y Booth, 1995; Hetherington, 1999).

La conflictividad o desacuerdo parental ha demostrado tener efectos negativos en la adaptación de los hijos, manifestándose a través de trastornos de conducta, agresividad, depresión, ansiedad y problemas escolares (Amato y Keith, 1991; Grych y Fincham, 1990).

Forehand (1993) considera que el divorcio puede ser una experiencia subjetiva dolorosa que puede llegar a ser recordada durante mucho tiempo; sin embargo, el dolor debido a esta experiencia no tiene necesariamente que interferir en el funcionamiento individual hasta puntos extremos. Según este autor, algunos niños probablemente son influidos negativamente por el divorcio, pero otros no, por lo que no se debería concluir que el divorcio es inocuo o, alternativamente, perjudicial.

«No es el divorcio por sí mismo el que determina las alteraciones en los hijos, sino ciertas variables que frecuentemente acompañan la ruptura de la familia» (Amato y Keith, 1991a; Emery y Forehand, 1993).

Los estudios sobre la evolución de las relaciones en el curso del tiempo confirman la importancia que tiene la influencia del conflicto conyugal sobre los hijos, prescindiendo del hecho de que los padres vivan juntos o no. Se ha constatado que *el conflicto entre los padres es el factor que más perjudica el desarrollo de los hijos y genera sus problemas de conducta y emocionales,* observándose en muchos casos que el conflicto precede en años a la separación.

La conflictividad y desacuerdo parental es un factor de riesgo muy alto en el desarrollo de posibles psicopatologías en la infancia.

Uno de los aspectos más perjudiciales de la separación es el período de discusiones y de incertidumbre que caracterizan las relaciones de pareja durante el tiempo en que deciden si se separan o no. Los padres, inmersos en sus propios conflictos, son incapaces de darse cuenta «en muchas ocasiones» del efecto que esta situación provoca en sus hijos.

La vivencia de conflicto en el seno familiar representa el reverso de la moneda de la necesidad de relaciones interpersonales de calidad. En la mayoría de los casos, el conflicto se produce entre marido y mujer, y el niño es observador indirectamente involucrado y testigo de la desintegración de la relación entre dos personas a las que le unen fuertes lazos emocionales. Es esta lealtad dual lo que convierte la desavenencia parental en una experiencia extremadamente dolorosa para el niño (Mitchell, 1985).

«Mario tiene 4 años; desde hace año y medio visita constantemente a especialistas de la piel a consecuencia de una caída progresiva del cabello que le deja zonas de la cabeza calvas. El último especialista considera que

se trata de una alopecia areata de etiología psicológica; es entonces cuando la pareja comenta que en los últimos tres años tienen intensas y violentas discusiones delante de su hijo.»

Durante mucho tiempo se ha planteado que los hijos de padres separados tenían mayor riesgo de psicopatología. Actualmente, la mayoría de los estudios realizados concluyen que cualquier cuadro clínico bien podría haberse estructurado en el período en que la familia permanece junta, antes de la disolución legal de la pareja. Sobre los efectos de la separación, pensamos que éstos dependen del modo en que los padres presentan este hecho a sus hijos y de la capacidad que tienen, una vez separados como pareja, de mantener con ellos unas relaciones paternas sanas y equilibradas. Más adelante especificaremos con más detalle estos dos aspectos.

En la mayoría de los casos, el conflicto previo a la separación tiene unas consecuencias igual de graves y destructivas sobre el niño que la misma separación. En este clima, el niño experimenta una seria amenaza a su estabilidad psicológica.

No es en sí el acontecimiento de la separación lo que conlleva consecuencias adversas, sino la tensión y hostilidad previa y posterior a la separación.

¿Cómo explicar la ruptura a los hijos?

Aspectos fundamentales ante la explicación de la ruptura

Los progenitores deben informar adecuadamente de la separación a los hijos.

Cuando una pareja vive un conflicto profundo, es difícil que se ayuden en la delicada tarea de preparar a los hijos para la separación. Es frecuente que los niños no sean adecuadamente informados sobre la separación de los padres, ya que el desacuerdo entre los padres es tan profundo que les impide decidir juntos qué decir y cómo anunciar la separación a sus hijos y prepararlos para ella.

En otras ocasiones, la información que se les da a los hijos es parcial y producto de la ira de uno de los padres, realizándose esta información más por un ánimo de venganza sobre el otro ex cónyuge, que realmente por aclarar la situación, explicar y tranquilizar a los hijos.

Informar a los hijos de la decisión de separarse es siempre una decisión difícil para ambos progenitores. No existe un discurso hecho que elimine todo riesgo de sufrimiento, pero si nos planteamos qué es lo mejor desde el punto de vista de la salud psicológica del niño, habría algunas *cuestiones fundamentales a considerar:*

1. *Es muy importante que a los hijos se les presente la ruptura como una decisión conjunta*

Si la pareja está rota, teóricamente la decisión de separarse es de los dos, a pesar de que sea uno de los cónyuges el que normalmente da el paso. Éste suele ser un punto muy conflictivo en el proceso de separación. El progenitor «que no quiere separarse», aunque reconoce con frecuencia que la pareja está separada emocionalmente desde hace tiempo, puede negarse a aceptar la separación. Al considerar que la separación es unilateral rechazan compartir con el otro progenitor la responsabilidad de informar conjuntamente a los hijos. Esta actitud perjudica seriamente a los niños.

Los hijos de aquellos padres que en su momento compartieron la responsabilidad de informar a sus hijos sobre el divorcio tienen, a la larga, un mejor ajuste psicológico (Benedek, 1999). Por eso es fundamental que padre y madre hablen por turnos, en un tono sereno y respetuoso; es importante el lenguaje verbal, el gestual y el tono de voz. Si los padres quieren que sus hijos asimilen la noticia del mejor modo posible, han de presentarse seguros de la decisión, evitando mostrar rabia, agresividad, preocupación, tristeza o llanto. La aparición de estas emociones determinará el modo en que el niño reaccione frente a la noticia. Una discusión violenta no es el mejor clima para que el niño sea informado de una decisión tan trascendente en su vida.

La decisión ha de ser comunicada por los padres conjuntamente, y si esto no es posible, es conveniente que ambos lo hagan por separado ofreciendo las mismas versiones.

Hay que evitar que se pongan de manifiesto las diferencias con respecto a la decisión de la separación: transmitir a los hijos que uno quiere separarse, pero que el otro no, sólo contribuye a hacer más dolorosa la situación.

2. *El niño tiene que ser informado*

Las explicaciones iniciales deben ser generales, sin demasiados detalles, y a medida que pase el tiempo se ampliarán. *El niño debe ser informado cuando la decisión esté tomada, nunca antes,* puesto que de lo contrario se genera ansiedad e incertidumbre.

Por otra parte, algunos padres piensan que no es necesario decir a sus hijos que se van a separar. Consideran que los niños son demasiado pequeños para entenderlo o que quizá causarán más dolor si hablan de ello. De este modo, lo que suele ocurrir es que uno de los padres se marcha sin avisar ni dar explicaciones, y el otro da su versión de lo que ha ocurrido.

Un divorcio es tan respetable como un matrimonio, es todo el silencio que se produce en torno a él lo que lo convierte en tabú para el niño, y ello con el pretexto de que el acontecimiento estuvo acompañado de sufrimiento. Ambos padres deben humanizar su separación, explicarla con palabras y no guardársela para sí mismos. *Los niños deben ser informados porque están capacitados para comprender la realidad que viven, sobre todo si son sus padres quienes les explican la ruptura.* Una gran parte de los sufrimientos del niño se articulan en torno a algo no dicho o una mentira que se mantiene en nombre del bien del niño (Dolto, 1989).

Cuando el niño carece de explicaciones para entender lo que vive, recurre a la imaginación y a la fantasía. Así, la ausencia del padre puede hacerle creer que ha sido abandonado, que su padre no le quiere, que su mal comportamiento ha provocado su marcha o que se ha ido porque un día enfadado le dijo que no lo quería. Para algunos niños, el anuncio de la separación coincide con el día en que el padre sale de casa con las maletas; de este modo, la separación sí adquiere un peso traumático de graves consecuencias.

3. *Al niño no se le informa de los conflictos de fondo que la pareja tenga o que motiven su separación*

Hemos oído con mucha frecuencia en los padres que se separan: *«mi hijo tiene que saber toda la verdad»*. Cuando preguntamos a los padres qué quieren decir con «saber toda la verdad», responden que se refieren a los auténticos motivos por los que según ellos se separan. Si insistimos en que sean más explícitos, entonces nos comentan que quieren que sus hijos sepan el porqué de la ruptura y piensan en explicaciones tales como: «tu madre tiene un novio», «tu padre prefiere estar con otra mujer y nos ha dejado» o «yo no quiero separarme, es tu madre la que nos abandona». Es relativamente fácil caer en la tentación de presentarse como víctima o de recrearse contándole al hijo detalles de una infidelidad o de la nefasta relación conyugal mantenida.

La información que se dé al niño, que debe darla conjuntamente la pareja, debe aproximarse al máximo a la verdad, sin caer en detallar pormenores que puedan ser dolorosos para el niño. No debemos confundir a nuestros hijos con amigos a los que probablemente sí le contaríamos todos los incidentes que han ocasionado la ruptura. La pregunta que todo progenitor debe plantearse en esta situación es: *¿para qué le sirve a mi hijo la información que quiero darle?* o *¿qué quiero conseguir con la información que le estoy dando?*

Decir que «mi hijo tiene que estar bien informado de todo» responde más a una necesidad personal de agredir al ex cónyuge, de descarga emocional o de incapacidad para elaborar el malestar propio. Estos argumentos nunca se justifican desde las necesidades que el niño tiene.

Por tanto, hay frases que nunca deben decirse: *«tu padre/madre nunca me ha querido», «tu padre/madre no me deja quedarme en nuestra casa, me echa de casa», «tu padre/madre tiene una aventura con otro/a...», «tu padre/madre me ha estado engañando dos años», «si a papá o a mamá le importaras, no daría este paso».*

4. *Hay que explicar que han decidido vivir separados y que él no tiene nada que ver con esta decisión*

Las razones del divorcio deben ser expuestas en términos que el niño no se culpe de dicha decisión Es importante repetirles una y otra vez que la decisión afecta sólo a los padres, y que los hijos no son culpables de la ruptura.

5. *Es conveniente decir que les ha llevado mucho tiempo decidirse y que están seguros que es lo mejor para todos; por tanto, no es modificable*

Al niño le tiene que quedar claro que no puede hacer nada para cambiar esta decisión; que es una decisión tomada por los padres y los niños no la pueden cambiar.

6. *Informar al niño de quién se irá de la casa y con quién van a vivir*

A veces, para calmar la ansiedad del niño, se cae en la tentación de decir que nada va a cambiar. Por el contrario, es necesario hablar precisamente sobre el modo en que la separación afectará a sus rutinas; así los hijos se pueden preparar mejor anticipando los cambios futuros.

7. *Tan importante es lo que se dice como lo que no se dice*

«Yo no le voy a hablar mal de su padre, pero lo que no pienso decirle es nada bueno de él». No aclarar determinadas cuestiones puede crear una imagen negativa de uno de los padres.

8. *No dramatizar ni mostrar comportamientos victimistas*

«A partir de ahora sólo tengo a mis hijos; ellos son los que me cuidan», «ahora, hijos míos, nos hemos quedado solitos, el papá ya no quiere estar con nosotros», «me siento tan triste cuando llega la noche, que sólo puedo conciliar el sueño si mi hijo se acuesta conmigo».

Éstos y otros muchos ejemplos se consideran actitudes de alto riesgo para la salud psicológica del menor, y generan un nivel muy alto de ansiedad y confusión, aumentando los sentimientos de inseguridad que inevitablemente están presentes en la ruptura de los padres.

9. *Es importante dejar claro que no hay un bueno o un malo, que no hay víctimas ni culpables*

La decisión ha de presentarse a los hijos de común acuerdo; aunque esto no se corresponda con la realidad los hijos deben estar al margen de esta circunstancia. De este modo se evita que el niño piense que hay un padre bueno y un padre malo.

10. *Es mejor que el adulto no fomente fantasías mintiendo sobre la realidad de la separación y creando una situación ficticia de pareja*

«Tu padre se ha ido de viaje», «tu padre está preparándose la oposición y se ha ido a casa de los abuelos»... Algunos padres, guiados por el sentimiento de lástima, mantienen al niño en esta situación, creyendo de este modo que le hacen más llevadera la separación. Por el contrario, contribuyen a dificultar la aceptación y adaptación de una realidad que cuanto antes se produzca, mejor será.

11. ***Aclarar al niño que se extingue el vínculo de la pareja, pero no el vínculo padre-hijo***

¿Cómo decírselo a sus hijos?

Evitar que la separación sea una herida traumática para los hijos depende en gran medida de los padres. A continuación sugerimos algunas *cuestiones que podríamos decir al niño ante la separación,* adaptándolo al período evolutivo en el que se encuentre:

— «Papá y mamá hemos decidido que ya no vamos a vivir juntos».
— «La decisión ya está tomada y no podéis hacer nada para cambiarla».
— «A partir de ahora vais a tener dos casas, la casa de papá y la casa de mamá».
— «Vais a seguir teniéndonos a los dos».
— «Te queremos mucho y seguiremos queriéndote».
— «Esta decisión no tiene nada que ver contigo, no es culpa tuya».
— «Siempre te ayudaremos y te protegeremos».
— «Trataremos de ocuparnos juntos de todo aquello que tenga que ver contigo».
— «Podrás visitar a tus abuelos y a tus tíos siempre que lo desees».
— «Te comunicaremos los cambios que vayan a ocurrir».

Benedek (1999), recoge algunas *consideraciones evolutivas* a tener en cuenta al informar a los niños:

Menores de cinco años

No necesitan explicaciones excesivamente largas y detalladas. A esta edad piensan en sus padres como una unidad indisoluble, en lugar de como en un papá o una mamá separados. Explicar que al padre que se va de casa no le va a pasar nada malo y hablar del nuevo lugar donde residirá.

Entre cinco y ocho años

El niño a esta edad necesita saber qué pasará con él. De qué modo afectará la separación de sus padres a sus rutinas habituales. Necesita saber que sus padres seguirán ocupándose de él.

Entre nueve y doce años

A los niños de esta edad les preocupan cuestiones similares a las de los más pequeños. A esta edad su inmadurez les lleva a pensar en términos de bueno o malo o de correcto o incorrecto. Pueden culpar a uno de los miembros de la pareja de la ruptura familiar o pensar que se les pide que tomen partido. A esta edad, los niños forman un fuerte vínculo con la figura del mismo sexo y desarrollan su identidad sexual. Es fundamental garantizar a los varones la continuidad en la relación con el padre.

¿Con cuánto tiempo de antelación es bueno comunicar la noticia de la separación?

Es bueno comunicarlo con suficiente tiempo para que el niño/a pueda ir aceptándolo. El ser humano necesita tiempo y se adapta mejor a los cambios cuando sabe de antemano que se van a producir; así se reorganiza y prevé alternativas de afrontamiento.

Algunos profesionales de la salud sugieren que se les hable de la inminente separación una o dos semanas antes de que suceda, para que asimilen la noticia. A partir de este momento, si se alarga la convivencia, se puede fomentar en el niño la fantasía de la reunificación o crear situaciones que generen confusión.

Hay ocasiones en las que la pareja decide separase temporalmente para reflexionar. La inseguridad en la decisión lleva a los padres a convivir a intervalos. Así, alternan períodos de convivencia y períodos de tiempo en los que se separan. Pero estas situaciones provocan inseguridad en el niño, y su deseo de que estén juntos les hace estar más pendientes de la relación de sus padres que de su propia vida. En ocasiones el niño asume la responsabilidad de unirlos, propiciando encuentros o citas o directamente presionando para que no se separen. Es evidente que cuanto antes se le clarifique la situación al menor, mayor estabilidad tendrá.

Dejar tiempo para que pasado el shock del impacto inicial, los niños expresen lo que piensan, sus sentimientos, lo que les preocupa; de tal modo, que aunque no influyan en la decisión ya tomada, permitan conocer a los padres el estado emocional de sus hijos.

Algunas cuestiones que sugerimos a los padres que pregunten a sus hijos, adaptándolas a su edad, son:

— ¿Esperabas esta noticia?
— ¿Qué te parece nuestra decisión?
— ¿Cómo te sientes?
— ¿Hay algo que te preocupe?
— ¿Qué piensas?
— ¿Tienes miedo de que algo cambie?

Si queremos ayudar en estos momentos iniciales al niño, tenemos que ayudarle a que exprese su malestar. Es fundamental no bloquear sus emociones ni contraargumentar lo que piensa. Hay que evitar quitar importancia o relativizar lo que el niño expresa; frases como: «¡venga, no te pongas a llorar!», «no tienes que estar triste» o «no tienes motivo para ponerte así», interfieren su expresión emocional.

El proceso psicológico de la separación y del divorcio

«Legalmente es un hecho aislado, pero psicológicamente es una cadena, en ocasiones interminable, de acontecimientos, readaptaciones y relaciones cambiantes a lo largo del tiempo; un proceso que cambia para siempre la vida de las personas involucradas en él.»

J. S. WALLERSTEIN (1983)

Los obstáculos psicológicos y sociales a los que deben enfrentarse los niños y sus padres en procesos de separación y divorcio son numerosos y complejos. La primera tarea del divorcio es poner fin al matrimonio de la manera más civilizada posible, sin que uno de los cónyuges se resigne por un sentimiento de culpa a perder sus derechos, huya para acabar con todo, asumiendo el papel de bueno o malo, víctima o verdugo, o impulsado por el deseo de herir o vengarse. Cuando un matrimonio llega a su fin, estos sentimientos pueden alcanzar una importancia desmedida (Wallerstein, 1983).

Poner fin a un matrimonio no es algo fácil. Hay personas que tienen una mayor dificultad para «cerrar la relación». Muchas se niegan a creer que el matrimonio ha llegado a su fin e imponen una continuación forzada de la relación por medio de pleitos prolongados, actitudes victimistas, obstáculos repetidos en todo el proceso legal, negación del deterioro de la pareja...

Los sentimientos derivados de una separación pueden estar presentes durante mucho tiempo, incluso se pueden reavivar a lo largo de los años coincidiendo con un nuevo casamiento del ex cónyuge, o simplemente con el establecimiento de una nueva relación. El fracaso de la propia relación de pareja puede aumentar el grado de insatisfacción y remover sentimientos que permanecían dormidos; en otras ocasiones, las situaciones de desnivel económico pueden alimentar los sentimientos de injusticia y agravio. Después de los años, los separados siguen hablando de ira, indignación, rabia, frustración, impotencia, incomprensión. Hay parejas que siguen manteniendo después de los años una relación mutuamente destructiva. El resentimiento contra el cónyuge puede conducir a distintas clases de violencia.

Cuando una persona encuentra la estabilidad después del divorcio, debe permitir que las responsabilidades adquiridas en la relación pasada y los recuerdos coexistan de forma pacífica con la relación presente. Por el contrario, son muchas las personas que reaccionan con el paso de los años como si el impacto inicial de la crisis acabara de producirse. Con mucha frecuencia, las parejas separadas expresan su deseo de borrar de sus vidas a su ex cónyuge: *«¡no quiero volver a verle!»*, *«¡no quiero nada que me recuerde a esa persona!»*, *«¡no quiero saber nada de él/ella!»*, *«¡para mí, como si no hubiera existido!»*, etc.

Esta problemática, que afecta a gran número de parejas en mayor o menor grado, se traslada inevitablemente a los hijos. Es realmente difícil en esta situación impedir que los sentimientos no contaminen al menor.

El divorcio en distintos ámbitos

No es sólo un proceso en el tiempo, ni exclusivamente un proceso legal; la pareja que decide separarse ha de comprender que se separa en una serie de aspectos distintos. Podríamos plantear diferentes ámbitos de análisis en la elaboración de la separación y divorcio:

— La separación emocional o divorcio psíquico.
— El divorcio legal.
— El divorcio de comunidad.
— El divorcio de propiedad.
— El divorcio de dependencia.

En la época del decreto del divorcio hay probablemente dos personas que están furiosas porque en el divorcio psíquico se sienten rechazados, en el divorcio económico, se sienten engañados, y en el divorcio legal tergiversados. Puede causarles encono el divorcio en que hay hijos, sentirse solitarios o molestos o ambas cosas en el divorcio de comunidad (Bohanan, 1980).

La separación emocional o divorcio psíquico

El divorcio psíquico surge cuando uno de los miembros de la pareja, o los dos, siente que su relación está en crisis. Ante estos sentimientos, se intenta «poner remedio», pero si este proceso no se acompaña de «resultados emocionales», se pierde esperanza, ilusión, la relación ya no satisface y poco a poco se va produciendo un distanciamiento emocional que vacía de significado el vínculo entre la pareja.

Algunas parejas buscan fuera relaciones alternativas que llenen su vacío emocional; otras comunicarán sus sentimientos iniciando una espiral de tensiones y conflictos que no resolverá nada; y otras quizá se planteen legalizar ese distanciamiento.

Carlos y María llevan casados catorce años, tienen dos hijas. María tomó la decisión de separarse hace varios años, porque aunque le tiene cariño, no lo quiere como pareja. Hace dos meses ha comenzado el proceso legal. Duermen en habitaciones separadas desde hace tiempo, no tienen vida social conjunta. Carlos argumenta que la relación entre ellos funciona mejor ahora que antes, que discuten menos, él ha cambiado mucho en su comportamiento, colabora más en casa, está cada vez más tiempo con las hijas e intenta agradarla en todo. Carlos se niega a separarse, se niega a salir de su casa y dejar a sus hijas.

Desde que María ha dado los primeros pasos legales, él está cada vez más irritable, agresivo, chantajista y manipulador con ella y las niñas; ha comenzado a beber con mucha frecuencia. María pide ayuda psicológica porque la situación es cada vez más insostenible a nivel de pareja y familiar. María ha hecho la separación psíquica durante estos últimos años de relación; Carlos se niega a aceptar que la relación está rota desde hace bastante tiempo. Carlos es un hombre bastante inmaduro, inestable emocionalmente, muy dependiente y realiza una negación importante de la realidad que tiene en su pareja.

No querer separarse de alguien que te plantea que ya no quiere vivir contigo o que no te quiere como pareja, es un indicador de inmadurez personal. Esta negación demuestra la incapacidad de aceptar y adaptarse a la realidad.

En el divorcio psíquico la pareja debe renunciar el uno al otro. La mayor dificultad con la que se encuentra la pareja es que el proceso de separación emocional no se vive a la misma velocidad, e incluso no es compartido en el tiempo.

En ocasiones, uno de los cónyuges ha hecho la separación psíquica mucho antes que el otro; a veces, antes de que el divorcio sea discutido como una posibilidad; todo ello conlleva una complicación importante del proceso de separación.

Inevitablemente esto conlleva que cuando uno de los miembros de la pareja decide dar el paso para solicitar la separación, el otro no está preparado psicológicamente para separarse y romper un vínculo que quizá para él sí tenga sentido. Este punto puede ser muy subjetivo, porque, aunque la pareja comparta ya muy pocas cosas, puede ser que no se quiera renunciar al otro o que la pérdida de un estatus económico sea suficiente para querer mantener la relación; en otras situaciones, la dependencia emocional y el temor a la independencia o el deseo de posesión son suficientes para obstaculizar la separación emocional. Hay también un amplio número de personas a las que les va a resultar difícil aceptar que el otro/a ya no desea compartir un proyecto de vida en común; esta situación se convierte en algo tan intolerable porque daña tanto la autoestima de uno de los cónyuges que aparecen diversas estrategias de resistencias: oponerse a la separación y al divorcio, conflictualizar al máximo la relación para dar salida al resentimiento por la humillación o alentar expectativas de una reconciliación.

En el divorcio psíquico, ambos deben renunciar el uno al otro, admitir que no compartirán más la vida, olvidar sus expectativas sobre el otro y sobre la relación y afrontar todos los sentimientos que esto implica (Francescato, 1995).

Así pues, la pareja que decide separarse sin que previamente ambos miembros hayan elaborado una separación emocional, no está en condiciones de abordar de una forma equilibrada la reestructuración de sus relaciones futuras, ni mucho menos garantizar estabilidad psicológica en la relación con sus hijos.

El divorcio legal

El divorcio legal establece el marco de la separación económica de la pareja y determina a quién le corresponde la tenencia de los hijos. Todas las medidas hacen referencia a: los hijos, la vivienda, ajuar doméstico, contribución a cargas familiares y alimentos, al régimen económico matrimonial y a la pensión de uno u otro de los cónyuges. Esta etapa sería relativamente fácil si ambos miembros de la pareja han elaborado su separación emocional o psíquica y procuran no castigarse mutuamente ni vengarse.

Artículo 90 del Código Civil

El convenio regulador se refiere a los siguientes extremos:

a) La determinación de la persona a cuyo cuidado hayan de quedar los hijos sujetos a la patria potestad de ambos, el ejercicio de ésta y el régimen de visitas, comunicación y estancia de los hijos con el progenitor que no viva con ellos.

b) La atribución del uso de la vivienda y ajuar familiar.

c) La contribución a las cargas del matrimonio y alimentos, así como sus bases de actualización y garantías en su caso.

d) La liquidación, cuando proceda, del régimen económico del matrimonio.

e) La pensión que conforme al artículo 97 corresponde satisfacer, en su caso, a uno de los cónyuges.

Los acuerdos de los cónyuges adoptados para regular las consecuencias de la nulidad, separación o divorcio serán aprobados por el juez, salvo si son dañosos para los hijos o gravemente perjudiciales para uno de los cónyuges. La denegación habrá de hacerse mediante resolución motivada, y en este caso, los cónyuges deben someter a la consideración del juez nueva propuesta para su aprobación, si procede. Desde la aprobación judicial podrán hacerse efectivos por la vía de apremio.

Las medidas que el juez adopte en defecto de acuerdo, o las convenidas por los cónyuges, podrán ser modificadas judicialmente o por nuevo convenio cuando se alteren sustancialmente las circunstancias. El juez podrá establecer las garantías reales o personales que requiera el cumplimiento del convenio.

Divorcio de comunidad o divorcio social

El divorcio de comunidad o el divorcio social consiste en que cada miembro de la pareja se vea a sí mismo como separado y se sienta cómodo con su nuevo estatus en la sociedad.

La definición de «comunidad» incluye mucho más que la vecindad inmediata en que se vive; incluye también a los amigos del matrimonio, los parientes políticos, los amigos del trabajo. En el proceso de divorcio todas estas relaciones deben ser redefinidas y reestablecidas. Muchas de estas relaciones se dividen por lealtad o siguiendo las líneas consanguíneas.

Con frecuencia el divorcio de comunidad, con todo lo que ello implica como hemos comentado anteriormente, resulta muy traumático para uno o ambos de los cónyuges e inevitablemente afecta a los hijos.

La sociedad ha evolucionado en la comprensión y aceptación del divorcio, pero no podemos considerar que es un tema resuelto. Se sigue buscando un culpable en la separación. Los familiares y amigos se posicionan con mucha frecuencia en actitudes irrespetuosas e inmaduras, sin entender, en la gran mayoría de los casos, la realidad de la pareja. El divorcio no es una cuestión de buenos y malos, es la solución por la que opta la pareja ante una relación que no funciona.

Es frecuente que las personas cercanas que rodean a la pareja separada den consejos, tomen posiciones, hagan críticas, cuando, en la mayoría de los casos, sólo conocen la punta del iceberg de lo que ha sido esa relación de pareja.

«Celia y Jaime se separan; tienen dos hijos. Celia se queda viviendo en el domicilio familiar y tiene la custodia de los niños; son una pareja de 29 y 32 años respectivamente. Las familias de origen de ambos han tenido hasta este momento una estrecha relación. En el proceso de separación, la madre de Celia prohíbe expresamente a la familia de Jaime visitar el domicilio conyugal en el que ahora vive Celia. En una ocasión, uno de los niños de cuatro años se puso enfermo y la hermana de Jaime, con la que los niños tenían un vínculo muy fuerte, fue a visitarlo, ante lo cual se desató una escena de gritos, insultos y prohibiciones por parte de la familia de ella en presencia de los niños.»

Los hijos de esta pareja han crecido en este clima dividido sin posibilidad de vivir unas relaciones libres con ambas familias. Muy tempranamente aprendieron a no hablar nunca en una familia de la otra, a ocultar información, a mentir, y también aprendieron que los adultos que le rodeaban no eran capaces de solucionar conflictos, y lo que consideramos más importante, a mantenerlos a ellos fuera del conflicto. Evidentemente, en este caso, como en otros muchos, es fundamental cómo se resuelve el divorcio en la familia extensa.

Amigos y familiares han de intentar mantener una relación equidistante en la medida de lo posible con ambos progenitores. A continuación exponemos algunas recomendaciones:

— No posicionarse con uno de los progenitores.
— No intentar analizar la separación buscando un culpable o una víctima.
— No olvidar que cualquier comentario negativo que se haga sobre los padres dañará a los hijos.
— Evitar comentarios que presionan y confunden en la toma de decisiones: *«Tú no hagas nada, que ya verás cómo te va a dejar con lo puesto», «¿cómo dejas que se lleve a la niña; si por mí fuera, no lo permitiría?», «¿después de lo que te ha hecho, le ayudas a buscar trabajo?».*

— No mantener actitudes de lástima hacia el progenitor «dejado» y hacia los hijos, ya que dificultan la adaptación a la separación.

El divorcio de propiedad

«Ésta puede ser una de las fases más duras del divorcio, porque ahí, el objeto es concreto y no abstracto» (Bird, 1990). Dividir una propiedad compartida, pasar de «lo nuestro» a «lo tuyo o lo mío» suele conllevar bastantes conflictos. Las propiedades disputadas no se valoran sólo en términos de valor económico, sino en valor sentimental, en objeto de castigo, venganza u otras compensaciones que conlleven el sentimiento de victorias concretas.

La necesidad de ganar o el miedo a perder puede impulsar y determinar en muchas ocasiones la lucha por un objeto material y convertir el reparto de los bienes en un conflicto tras otro. En este sentido consideramos que la mediación familiar es una alternativa que intenta evitar la vivencia de ganadores y perdedores en el reparto de propiedades.

La concienciación de los profesionales del ámbito jurídico a este respecto es importante. Convertir el reparto en una batalla en la que se le dice al cliente «le vamos a sacar hasta lo que no tiene», es justo lo contrario de lo que sería deseable para dos personas que en el futuro tendrán que compartir decisiones conjuntas sobre sus hijos.

Divorcio de dependencia

El divorcio de dependencia implica resolver las dependencias establecidas con el ex cónyuge. En las relaciones de pareja se crean vínculos de dependencia que van desde lo emocional hasta lo económico. Por otra parte, se generan dependencias derivadas de la asunción de roles diversos. La organización de la casa, la gestión económica, la educación y crianza de los hijos..., a veces es llevada sólo por uno de los progenitores; con la separación, hay áreas en las que uno no sabe funcionar de forma independiente porque hasta ese momento el otro lo había asumido todo.

En la etapa de separación y divorcio todas las dependencias establecidas durante la convivencia deben resolverse o disminuirse al máximo.

Las personas que no resuelven estas dependencias, necesitan reanudar inmediatamente nuevas relaciones de pareja trasladando su necesidad de dependencia.

En otras ocasiones el separado/a vuelve a casa con sus padres, aunque esta decisión debería ser sólo temporal. El progenitor que vuelve casa de sus padres se presenta como un modelo de dependencia no como un adulto autónomo e independiente.

El problema surge cuando al volver un adulto a casa de sus padres, vuelve a ocupar el rol de hijo; vuelve a establecer una nueva dependencia o a renovar una dependencia anterior. Con frecuencia, los abuelos se convierten en padres de los niños y desautorizan al hijo, recuperando viejos conflictos del pasado.

5 El divorcio de la pareja, no el divorcio como padres

«Cuando a Ester le preguntan por qué su padre nunca va a las funciones de teatro al que pertenece, contesta que su padre no puede ir porque está de viaje o trabajando.» Sin embargo, Ester sabe que a su madre no le agrada encontrarse con su padre; para no dañar la imagen de su padre, al que adora, inventa esta excusa, no puede contestar la verdad porque sabe que está prohibida. Su madre permite que su hija dé estas explicaciones y se salta, entre otros, el derecho que tiene Ester a plantear qué aspectos de su vida no desea que se modifiquen por el divorcio de sus padres. ¿Alguna vez se le preguntó a Ester qué rutinas deseaba mantener, qué no le gustaría que cambiase la separación de sus padres?

En este ejemplo, como en otros muchos, el niño renuncia a uno de sus progenitores porque sabe que éstos no son capaces de compartir espacios comunes con sus hijos. *Al romper su relación de pareja, no son capaces de mantener una relación como padres.*

Todo progenitor separado debe estar dispuesto a dialogar abiertamente y sin presiones sobre el modo en que la separación ha cambiado la vida a sus hijos. *En teoría, la separación sólo debe alterar la relación de la pareja, pero no la relación con los hijos; cuando esto sucede es cuando el niño sufre.*

Es importante preguntar a un hijo aquellas situaciones que le gustaría mantener en la relación con sus padres después de la separación. El niño sabrá responder mejor estas cuestiones cuando transcurrido un tiempo de la separación se enfrente a las situaciones reales de conflicto entre sus progenitores. Dependerá de la madurez y la estabilidad psicológica de sus padres poder cubrir sus necesidades afectivas, y el límite a las demandas lo pone cada pareja.

«Ana y Raúl acordaron tras su separación un régimen de comunicación y visitas muy flexible y que incluía celebrar juntos el cumpleaños y santo de su hijo y la posibilidad de que Raúl durmiera en casa la noche de Reyes para entregar conjuntamente los regalos a su hijo.»

Es evidente que para muchas parejas este acuerdo sería impensable, pero la separación tiene menos repercusiones si el distanciamiento de la pareja no implica la separación del niño de uno de sus progenitores, hecho que suele ocurrir con demasiada frecuencia.

La falta de amor es uno de los argumentos más esgrimidos como causa de la ruptura; es entonces cuando el niño oye que sus padres se separan porque ya no se quieren, y es entonces cuando el niño puede temer que al igual que el amor entre su padre y su madre se ha acabado, también le puede ocurrir lo mismo al amor que sus padres sienten por él. Es necesario aclarar este aspecto con el niño y asegurarle que el vínculo padre-hijo no se extingue.

Es conveniente que un hijo oiga de cada uno de sus padres frases como éstas: *«no lamento haberme casado, y separarme me es difícil porque naciste tú»*, *«los dos necesitamos de tu existencia»*, *«no lamento haber vivido con tu padre/madre porque te hemos tenido a ti»*, *«tenerte a ti nos ha hecho muy felices»*. Los niños pueden pensar que ya que sus padres quieren anular su compromiso adquirido, lo lamentan todo. Es preciso aclararles que no lamentan su nacimiento.

Respecto a los acontecimientos relevantes en la vida del niño, cumpleaños, comunión, fiestas, fin de curso..., es muy importante que padre y madre participen conjuntamente en dichas actividades. El hecho de que estén separados no debe ser motivo para que no estén presentes. El niño necesita a su padre y a su madre. Estas actitudes favorecen el proceso de adaptación del menor a la nueva situación.

Las relaciones entre los progenitores después de la separación

Después de la separación, las relaciones entre progenitores suelen ser muy diversas. Ahrons y Rodgers (1988) y Berman (1981) describen, según la frecuencia y el tipo de sus interacciones, la siguiente tipología:

Coprogenitores

Ex cónyuges que son amigos, desarrollan actividades en común aun sin los hijos, se reparten la responsabilidad de la educación y el cuidado de éstos, hablan con frecuencia entre ellos y ambos toman las decisiones. En estos casos, los hijos mantienen buenas relaciones con cada uno de ellos, y también con los dos juntos, dado que toda la familia se reúne con frecuencia. En general, los hijos viven con uno de los progenitores, pero pasan largos períodos junto al otro. En países donde la custodia conjunta está muy difundida, el término que se usa para este ejercicio de las funciones paternas se denomina *coparenting*. En esta situación, los ex cónyuges colaboran en lo cotidiano, cambiando su antiguo vínculo de pareja por uno de amistad, cooperan entre sí para ayudar a sus hijos a tener una buena relación con el otro progenitor. Les recuerdan sus citas, hacen que telefoneen con frecuencia a casa del otro y discuten entre ellos cualquier problema que surja con él.

Progenitores colegas

Son aquellos que respetan mutuamente sus diferentes criterios educativos, tienen un buen acuerdo sobre el régimen de comunicación y visitas y no interfieren uno en las actitudes del otro; estos padres defienden siempre las acciones del ex compañero delante de ellos. No obstante, no suelen verse y sólo lo hacen para hablar de los hijos. Cuando los hijos ven a sus padres, lo hacen por separado, viven con uno de ellos, haciendo visitas más o menos prolongadas al padre ausente; en este caso se puede hablar de relaciones paternas paralelas.

Padres competitivos

Cuando la pareja se sigue ocupando de los hijos pero están en abierto desacuerdo, se critican y cuestionan las decisiones del otro.

Hay dentro de este grupo dos tipos: aquellos que se evitan y discuten sólo de forma ocasional y los que riñen mucho en presencia de los hijos o utilizándolos a ellos. Los temas motivo de conflicto suelen ser la pensión, los horarios de las visitas o las actividades desarrolladas con el otro progenitor. La actitud hacia la pareja es acusatoria e intentan inducir a los hijos a que tomen partido por su causa. En esta situación, los hijos piden a menudo el cambio de custodia, en ocasiones apoyan a un progenitor, y en otras, al otro. Los hijos suelen estar tensos e irritados y se sienten incapaces de mantener una relación libre con el padre ausente. Cuando son pequeños, el progenitor que los tiene a su cargo puede prohibir físicamente la visita de su ex pareja. Cuando son mayores, los hijos se sienten culpables si pasan unas buenas vacaciones o están mejor con alguno de los dos; o bien, mienten o se aprovechan de uno de los padres para complacer o herir al otro.

Padres enemigos

Son aquellos que no se pueden ver, ni siquiera soportan hablarse por teléfono, se desvalorizan y se desprecian abiertamente. A menudo, el padre no custodio se ve obligado a desatender a los hijos o desaparece voluntariamente por largos períodos. En esta clase de relaciones, si el progenitor que tiene la custodia cumple adecuadamente con su papel, los hijos tienen un desarrollo normal, aunque de adultos buscan al padre que los abandonó; en cambio, si el progenitor con quien viven tiene problemas psicológicos o es demasiado rencoroso hacia el otro, el ausente se convierte en una presencia permanente, ya sea como ideal o como chivo expiatorio.

El impacto emocional del divorcio sobre el desarrollo evolutivo del niño

¿Hay alguna edad en la que el impacto de la separación sea menor?

Con frecuencia, el argumento más valorado ante la decisión de separarse es la edad de los hijos. Algunos de los planteamientos más utilizados por los padres que se encuentran en esta situación son: *«no me separo por no hacerle daño a mis hijo; aún son muy pequeños»*, *«una separación con niños menores de 5 años es muy perjudicial para su estabilidad emocional»*, *«la adolescencia es la peor etapa evolutiva para separarse»* o *«cuando sean mayores de edad y ya no nos necesiten nos separaremos»*.

Todo ello nos lleva a plantearnos una revisión sobre si existe una respuesta al *momento evolutivo menos perjudicial en los hijos para llevar a cabo la decisión de separarse, o por el contrario, si existe una edad de mayor riesgo en la infancia para realizar la separación.*

Desde la literatura científica, a pesar de haber sido uno de los aspectos más estudiados en relación con la separación y el divorcio, no existen resultados consistentes (Hetherington, Bridges e Insabella, 1998).

Algunas investigaciones plantean que los preescolares corren mayor riesgo de presentar alteraciones a largo plazo en su desarrollo social y emocional (Zill, N., Morrison, D. R. y Coiro, M. J., 1993). Otros autores consideran que los preescolares no tienen capacidad para evaluar la separación de los padres de una forma realista, lo que les lleva a presentar mayores niveles de ansiedad y temor al abandono total; el niño a edades tempranas depende a todos los niveles del ámbito familiar, por lo que no puede beneficiarse de los recursos protectores extrafamiliares a los que sí puede tener acceso el niño de más edad. Algunos estudios realizados afirman que la peor edad para que los padres se divorcien es cuando sus hijos tienen entre tres y ocho años.

Independientemente del período evolutivo en el que el niño se encuentre, la separación de los padres va a tener un efecto directo sobre el mundo emocional y conductual del menor. En algunos casos la separación puede suponer un alivio, en otras ocasiones va a producir sentimientos contradictorios y ambivalentes, para otros niños es algo temido, otros lo vivirán con culpa o impotencia, pero inevitablemente les afectará y va a conllevar un impacto emocional de especial relevancia.

Indudablemente, el nivel de desarrollo cognitivo, social y emocional que presentan los hijos en función de la edad va a afectar a su comprensión del divorcio, así como a su capacidad para afrontar los factores de estrés que a menudo conlleva la ruptura.

Por todo ello, podríamos concluir que *no existe una etapa evolutiva en la infancia que garantice la ausencia de reacciones clínicas en los niños ante la separación de los padres;* la separación, desde nuestro punto de vista, debería depender de otras variables y no exclusivamente de la edad de los hijos:

> La intensidad de la reacción del niño va a depender, en gran medida de los trastornos que eso ocasione en su vida, del nivel e intensidad de conflictos entre sus progenitores y de la prolongación de dichos conflictos.

Respuestas emocionales del niño según el período evolutivo

Cada nivel de edad tiene su propio esquema de reacciones que depende del nivel de desarrollo del niño. En la tabla 6.1 aparecen las características de las respuestas emocionales de los niños/as ante el divorcio de sus padres, según la etapa de desarrollo en que se encuentren (Pedreira y Lindström, 1995).

Experimentar un divorcio traumático puede interrumpir el desarrollo del niño. Hay niños que se quedan estancados en la etapa en la que tuvo lugar el trauma y otros que regresan a estadios que ya habían superado en su desarrollo evolutivo.

Wallerstein (1983) realizó una *descripción clínica* sobre cómo reaccionan los niños al divorcio de sus padres en función de la edad:

— *Los preescolares* presentan un malestar profundo, un alto nivel de ansiedad ante la separación, miedo de que los padres los abandonen, un alto índice de regresiones y una escasa capacidad para entender el divorcio y, consiguientemente, una tendencia a culparse a sí mismos por la separación.
— *Los niños en edad escolar* suelen presentar un nivel moderado de depresión, se preocupan por la salida del hogar del padre y añoran su regreso, perciben el divorcio como un rechazo hacia ellos y temen verse reemplazados.
— *Durante la preadolescencia,* la reacción al divorcio se suele manifestar mediante la expresión de sentimientos de cólera y la tendencia a culpar a uno de los progenitores, pudiendo desarrollar también síntomas somáticos.
— *Los adolescentes,* aunque se sienten apenados y con un cierto nivel de ansiedad, en general afrontan mejor el divorcio. Además de poseer un mayor desarrollo cognitivo y emocional, tienen la ventaja de poder contar con el apoyo de sus iguales y de otros adultos en ambientes extrafamiliares, lo que puede amortiguar los efectos de la separación y facilitar su ajuste.

Sin embargo, frente a este último punto, existen bastantes autores (Forehand, Long y Brody, 1988; Amato y Keith, 1991a, 1991b; Hetherington, 1993; Hetherington y Clingempeel, 1992; Hetherington y Jodl, 1994) que piensan que al ser la adolescencia

TABLA 6.1

Características de las respuestas emocionales de los niños/as y adolescentes ante el divorcio de las figuras parentales

Etapa de desarrollo	Situación cognitiva	Respuesta emocional (0-2 años tras divorcio)
Guardería y preescolar	(4-5 años de edad) – Entienden divorcio como separación física. – Perciben divorcio como temporal. – Confusión en intercambios afectivos, confunden positivo y negativo de cada figura parental. – Entienden divorcio en términos diádicos, pensando que su conducta puede ser la causa del divorcio.	(3-5 años de edad) – Miedos. – Regresión. – Fantasmas amenazantes. – Aturdimiento, perplejidad. – Suplencia afectiva. – Fantasías negativas. – Juego alterado/inhibido. – Incremento conductas agresivas. – Inhibición, agresividad. – Culpabilidad. – Mayores necesidades emocionales.
Etapa escolar (6-8 años de edad)	– Comprende finalidad del divorcio. – Aprecia aspectos físicos y psíquicos de los conflictos parentales. – Percibe dificultad para captar intercambios afectivos ambivalentes hacia los otros. – Puede interpretar el divorcio, pero puede pensar que su conducta tiene impacto en decisiones parentales.	– Apenado/a. – Temor de desorganización. – Añoranza por la figura parental ausente. – Intercambios afectivos por deprivación. – Inhibición o agresión hacia la figura paterna. – Angustia en hogar materno (custodia). – Fantasías de responsabilidad y reconciliación. – Conflicto de lealtades.

TABLA 6.1 *(continuación)*

Etapa de desarrollo	Situación cognitiva	Respuesta emocional (0-2 años tras divorcio)
Etapa escolar (9-12 años de edad)	– Comprenden psicológicamente los motivos para el divorcio. – Aprecian la perspectiva de cada figura parental hacia el divorcio. – No se autoculpabilizan. – Piensan que con el divorcio pueden beneficiarse por el fin de los conflictos.	– Inicialmente bien defendidos. – Intentan dominarse por juego y actividad. – Ansiedad. – Alteraciones de identidad. – Somatizaciones. – Tienden a alinearse con una de las figuras parentales.
Adolescencia precoz (12-14 años de edad)	– Aprecian la complejidad de la comunicación y pueden reconocer las contradicciones entre lenguaje verbal y gestual. – Entienden estabilidad de las características de personalidad. – Expresan lo que creen sobre «intención parental» y aceptan que las respuestas negativas no se deben a malas intenciones.	(13-18 años de edad) – Cambio en las relaciones padres hijos/as. – Preocupados sobre el sexo y el matrimonio. – Tristes y decaídos. – Angustia y ansiedad. – Percepciones cambiantes. – Conflicto de lealtades. – Retirada estratégica. – Hipermadurez moral de tipo adultomórfico. – Cambios en participación familiar.
Adolescencia tardía	– Explican el divorcio como incompatibilidad parental y perciben la posible madurez de la decisión. – Separa conflictos parentales de características personales.	– Cambios en participación familiar.

una etapa en la que se producen profundos cambios personales y en las relaciones padres-hijos, los adolescentes son más vulnerables a la disolución matrimonial.

Reacciones generales más habituales de los niños ante la separación

Aunque el divorcio se lleve a cabo en las mejores condiciones e independientemente de la edad, es de esperar que surjan ciertas dificultades debido a que la familia, tal y como el niño la ha conocido durante toda su vida, cambiará.

Frecuentemente, el período más crítico para los niños es el año siguiente a la separación de los padres.

Durante este primer año es cuando se suelen dar los mayores cambios en la vida del niño; todo se reorganiza: cambios en sus rutinas diarias, la disciplina, los juegos; por otra parte, suele ser también el período más crítico para los padres.

La separación o divorcio de los padres se ha considerado una circunstancia importante para el desarrollo de los hijos, en especial durante el primer año después de la ruptura de la pareja (García, Cervera, Bobes, Bousoño y Lemos, 1986).

Según Hetherington y cols. (1982), transcurrido un año después de la separación es cuando comienzan a reducirse los niveles de tensión en el niño, pudiendo adaptarse a la crisis, a no ser que ésta esté mezclada con otras situaciones estresantes y adversas que puedan dar lugar a alteraciones del desarrollo.

Los problemas más frecuentes que genera suelen ser emocionales, seguidos de problemas escolares, sociales y físicos, que tienden a aminorarse con el paso de los años, sobre todo en las niñas (Guidubaldi, Cleminshaw, Perry, Nastasi y Lightel, 1986; Hetherington, Cox y Cox, 1982).

A continuación, describimos las reacciones generales más habituales en los niños tras la separación de los padres.

Reacciones generales de los niños ante la separación	
— Tristeza.	— Regresión.
— Miedo.	— Problemas escolares.
— Hiperresponsabilidad.	— Problemas de sueño.
— Enfado.	— Problemas de alimentación.
— Culpa.	— La fantasía de la reunificación.
— Soledad.	

Tristeza

Algunos niños se doblegan bajo el pánico que sienten y quedan casi paralizados en su capacidad de funcionar; les acosan con frecuencia sueños de violencia y desastre, disminuyen su rendimiento y concentración, y lloran con frecuencia.

La tristeza es la reacción emocional principal de los niños ante la separación de los padres y la consiguiente división de la familia.

La familia ha cambiado y nunca volverá a ser como antes; ésta es una realidad que el niño tiene que ir elaborando.

La falta de uno de los progenitores en la vida diaria del niño y la añoranza de la familia tal y como era en un principio genera fuertes reacciones, no demasiado diferentes a las que siguen a la pérdida de un ser querido.

El padre o la madre son irremplazables en la vida de un niño, y con la separación inevitablemente el menor va a perder, en mayor o menor medida, la relación cotidiana con uno de ellos. En otras ocasiones, no sólo es la pérdida cotidiana de las relaciones entre un progenitor y sus hijos, sino la pérdida del contacto durante semanas, meses o en los casos más dramáticos, años, lo que supone el riesgo de mayor gravedad para la estabilidad psicológica del menor.

La separación conlleva otras pérdidas, puede perder la referencia de sus amigos, de su colegio, de su barrio. En muchas ocasiones pierde el contacto con una de las ramas de la familia, ya no verá a sus tíos, abuelos, primos; por ello es tan importante que ante la separación el niño tenga el menor número de cambios y pérdidas. Los niveles de tristeza en el niño irán asociados al número e intensidad de dichas pérdidas.

El niño puede manifestar su tristeza de manera diversa, también dependiendo del período evolutivo en el que se encuentre: llorando, permaneciendo más callado, alejado, abstraído, mostrando dificultades para disfrutar con las actividades que le resultaban divertidas anteriormente. Otra forma frecuente de expresar la tristeza es el enfado, las conductas agresivas y oposicionistas, la hiperactividad, que pueden confundirse con alteraciones del comportamiento, que no hacen sino enmascarar sintomatología depresiva.

Javier tiene 8 años, asiste a psicoterapia por presentar sintomatología ansioso-depresiva desde hace meses; los padres de Javier están atravesando una crisis de pareja muy importante que les ha llevado a decidir separarse. En una de las sesiones de psicoterapia, llorando expresa que siente mucho miedo a que sus padres se separen porque nunca más va a poder estar con los dos a la vez.

Es importante no ignorar la tristeza del niño o esperar a que vaya desapareciendo con el tiempo, sino que padre y madre deben ayudar al niño a expresar su tristeza. Igualmente es fundamental que no se censure su malestar.

Con frecuencia, los padres no aceptan las manifestaciones de tristeza, ni en ellos mismos ni en sus hijos, bloqueando todo el mundo emocional del menor. Es fundamental no utilizar frases como: *«¡no quiero verte así de triste, yo no me quejo y tengo más razones!», «¡no entiendo por qué lloras ahora que ya se han ido los problemas de la casa!», «¡para ser el primer fin de semana conmigo, vaya cara!»...*

La expresión del sentimiento de tristeza es especialmente reprimido en el caso de los varones desde edades muy tempranas. *«Los niños no lloran», «compórtate como un hombre»* son mensajes que socialmente se dirigen con mucha frecuencia a los niños y son enormemente perjudiciales en momentos en que es beneficiosa su expresión. Por ello, los varones en muchas ocasiones necesitan un apoyo adicional para expresar su malestar.

Miedo

Es otra de las reacciones más frecuentes de los niños ante la ruptura de los padres y los consiguientes cambios familiares. Los contenidos de los miedos van a depender de la edad que tenga el niño, es decir, del período evolutivo en que se encuentre.

Los niños en edad preescolar pueden presentan miedos a ser abandonados por el padre con quien viven, miedo a que no le quiera el padre no custodio, miedo a quedarse sin comida, sin casa, etc.

La angustia de separación puede reaparecer. El niño tenía antes dos padres y ahora sólo tiene uno, y el temor de perder a esa persona le resulta insoportable.

La forma de manifestar estos miedos puede ser a través de llanto frecuente, aumento de las conductas de apego, inquietud o rechazo ante la separación de uno de los padres o cualquier persona con quien tenga un vínculo de apego.

Para ayudarle, padre y madre tienen que propiciar la expresión de éstos; es fundamental que los padres se comporten con los hijos de forma coherente, tranquilizándoles y asegurándoles que ninguno de los dos les va a abandonar.

Es frecuente que los niños lleguen a pensar y a sentir que si sus padres han dejado de quererse, también pueden dejar de quererles a ellos. Ésta suele ser otra fuente de preocupación e inseguridad en los niños. Es importante aclararles que la relación padre-hijo es distinta a la de un hombre y una mujer; la relación entre padres e hijos es para siempre; sin embargo, entre dos adultos puede romperse.

Muchos de esos temores pueden ser aliviados por frecuentes visitas al progenitor ausente.

Hiperresponsabilidad

El alejamiento de uno de los progenitores amenaza la seguridad de todos los miembros de la familia; algunos niños reaccionan asumiendo la responsabilidad de proteger sus hogares y hermanos.

Estas reacciones irán disminuyendo si los progenitores adoptan actitudes maduras, adultas y le transmiten que él no tiene que asumir las responsabilidades que le corresponden a los adultos. De no ser así, se podría convertir en una situación de riesgo importante para el menor.

Enfado

El enfado es otra de las reacciones frecuentes que el niño puede manifestar ante una realidad nueva como es la separación de sus padres; es una situación ante la cual el niño no puede hacer nada y que le provoca muchas emociones nuevas y no agradables.

Los niños manifiestan ese enfado de diferentes formas: con actitudes de desobediencia hacia los padres y profesores, peleándose con otros niños; también se observan niños que no exteriorizan su enfado, como reacción a un entorno que se lo censura excesivamente; en estos casos es probable que lo que observemos sean reacciones depresivas.

Es fundamental permitir que los hijos expresen sus sentimientos de enfado de una forma aceptable. Es muy negativo transmitirles que es algo «malo» o forzarles a guardarse su enfado para sí mismos.

Culpa

La culpa surge de la creencia infantil de que ellos son el centro del universo, y por ello tienen que ser la causa o el fin de todo lo que ocurre a su alrededor. El niño siente que si se hubiera portado mejor, si hubiera estudiado más, si no hubiera enfadado a papá, si no hubiera deseado en secreto que mamá o papá se fuesen de casa..., seguro que no se habrían separado.

Muchos niños se sienten responsables de la ruptura de sus padres y también de la reconciliación de éstos, por lo que intentan hacer lo posible para que se unan de nuevo.

Los padres de Cristina viven una situación de divorcio emocional importante desde hace varios años. Las relaciones entre ambos son muy conflictivas. Cristina tiene 8 años y es hija única. Cuando sus padres le comunican la decisión de la separación, ella les dice gritando que no sigan, que no quiere saber nada más y que esta situación la arregla ella.

Los años preescolares —de los tres a los cinco años— son considerados críticos para el desarrollo del niño; muchos especialistas de la primera infancia plantean que la culminación con éxito, o sin él, del desarrollo que afronta el preescolar determina su actitud en el resto de su vida.

Estos años suponen en el proceso evolutivo del niño el nacimiento de una conciencia (super-yo, en términos psiquiátricos-psicológicos), y la aparición de un orden moral, un sentimiento de lo que es «bueno» o «malo»; todo ello conlleva que aparezca la posible carga de culpa. El niño se culpa de todo lo que vaya mal en su familia, y por consiguiente de la separación de sus padres.

Es importante que al menos se le comente que él no es la causa de la separación y que no puede hacer nada para volver a unir a la familia. Por otra parte, consideramos fundamental que no se realicen comentarios ante los hijos que hagan referencia a que él es el motivo de la separación de sus padres.

Soledad

Cuando un miembro deja de formar parte de una familia, hay un enorme hueco en su lugar. Los niños se sienten solos debido a que uno de los padres ha dejado de vivir con ellos, con independencia del tipo de relación que mantuviera con él.

La separación va a conllevar, con frecuencia, cambios en la dinámica familiar que contribuyen al sentimiento de soledad. En la mayoría de las familias, el progenitor custodio, que con mayor frecuencia es la madre, pasará menos tiempo que antes con los hijos, ya que necesitará aumentar su jornada laboral por motivos económicos o incorporarse al mundo laboral cuando no lo había hecho antes. Unido a esto, el progenitor custodio deberá asumir las tareas de la casa que antes compartía con su ex cónyuge, lo que inevitablemente le va a restar tiempo de dedicación y atención a sus hijos. El resultado de todo ello es que el niño estará más tiempo solo.

En muchas ocasiones esta soledad se podría aliviar o solucionar con una buena planificación del régimen de visitas del progenitor no custodio.

Regresión

La reacción regresiva es frecuente en muchos niños ante la separación de los padres; este tipo de reacciones permite al niño evadirse de los acontecimientos estresantes que está viviendo y retirarse mentalmente a un lugar donde se sentía más seguro y tranquilo.

Las conductas regresivas pueden manifestarse de muchas formas; las más habituales son: chuparse el pulgar, habla infantil, hacerse pipí en la cama, tener rabietas, mostrarse más dependiente de los padres y con conductas más infantiles (dejar de usar el tenedor y la cuchara, pedir el alimento en biberón), volver a establecer relación con algún objeto de apego de etapas anteriores (muñeca, juguete de peluche, sábana, etc.).

La regresión es la reacción más universal de los preescolares ante el divorcio. Cuando el divorcio es solucionado de forma madura por los padres, las reacciones regresivas suelen ser más breves.

Ante este tipo de reacciones regresivas es fundamental que los padres no le castiguen; en estos momentos el niño necesita principalmente apoyo y seguridad por parte del padre y de la madre.

Belén es una niña de 4 años, sus padres se han separado recientemente. Hablando con su profesora nos comenta los cambios que ha experimentado en el último mes: ha pasado de ser colaboradora y obediente a gritar y lloriquear si no obtiene las cosas inmediatamente; en los juegos al aire libre se ha vuelto temerosa retrocediendo en sus avances anteriores; está muy apegada a la maestra, se hace pipí con frecuencia. Su madre se muestra a menudo irascible con ella y dice que no tiene tiempo para dedicarle; su padre dice que vendrá a verla todos los fines de semana, pero no lo hace.

Ante esta situación Belén se refugia en etapas anteriores donde su vida era más tranquila, segura y estable.

Problemas escolares

Las repercusiones que la separación de los padres van a tener en los rendimientos escolares y en la adaptación al ámbito educativo son inevitables; con frecuencia, durante el proceso de separación las calificaciones bajan, los niveles de atención y concentración descienden y el niño suele mostrarse más abstraído en la clase.

Es fundamental el apoyo de ambos padres en las tareas escolares. Según algunos estudios realizados, los niños que viven en hogares en los que falta la figura del padre suelen tener una menor motivación de logro y menos aspiraciones educativas; por ello, es muy importante la presencia continuada del progenitor no custodio en la vida del niño.

Problemas de sueño

Las alteraciones en el sueño son un síntoma frecuente en el proceso de separación; los niños suelen presentar ansiedad, pesadillas frecuentes, negativa a irse a la cama, insomnio y miedo a dormir solos. Es importante que el niño pueda hablar de sus miedos, de sus angustias con su padre o madre; éste debe tranquilizarle en su habitación, pero nunca acostarle con la madre o el padre o quedarse a dormir en su cama.

Es conveniente que el niño mantenga los mismos rituales al acostarse que antes de la separación de sus padres.

Los problemas de sueño deben desaparecer conforme vaya evolucionando el proceso de adaptación a la nueva situación.

Problemas de alimentación

Es frecuente que el estrés de las primeras fases del proceso de separación afecte los hábitos alimenticios de los niños. Las reacciones más frecuentes son la inapetencia en mayor o menor grado, o por el contrario, el comer en exceso.

También son frecuentes los comportamientos regresivos asociados a las conductas alimentarias: negarse a comer solo cuando ya lo estaba haciendo antes de la separación o negarse a comer alimentos sólidos.

Pueden aparecer comportamientos caprichosos: sólo come si le da un miembro de la familia, rechaza muchos tipos de alimentos, volviéndose altamente selectivo.

En niños que están con altos niveles de ansiedad pueden aparecer vómitos repetidos y rechazo a tragar alimentos.

La fantasía de la reunificación de los padres

Es frecuente que el niño albergue la esperanza de que sus padres vuelvan a vivir juntos; tomada la decisión de la separación *es preciso aclararle que esto no sucederá.*

El niño tolera muy mal la falta de comunicación entre sus padres; de alguna manera intenta forzar la comunicación y puede presentar síntomas psicopatológicos con el ánimo de propiciar el contacto entre ellos. En otras ocasiones, el niño enfrenta a sus padres y crea situaciones de conflicto: mientras se pelean, queda posibilidad de reencuentro; para el niño hubo un tiempo en que sus padres discutían y estaban juntos.

Muchos niños malinterpretan la cooperación entre sus padres como un signo evidente de que van a volver a estar juntos.

«Mis padres ya no discuten como antes, el otro día quedaron a tomar café juntos. Yo se lo he dicho a la novia de mi padre, se llama Luisa, y le he dicho que quiero que mis padres se vuelvan a juntar, pero ella no lo entiende, y se enfadó mucho cuando se lo dije. A mí me gustaría que volviesen a estar juntos; yo pienso que se quieren.»

Cuando se considera que el niño tiene este tipo de fantasías es conveniente que se le aclare: «Papá y mamá ya no están casados y no volveremos a estar juntos nunca más; pero siempre seremos vuestros padres y seguiremos colaborando para decidir qué es lo mejor para vosotros».

Todas estas reacciones generales que hemos comentado se pueden considerar normales al comienzo de la separación de los padres, el niño progresivamente se irá adaptando a la nueva situación y estos síntomas irán remitiendo. Si persisten en el tiempo, es conveniente consultar con un especialista que realice una valoración.

7 Factores generales que contribuyen a la adaptación psicológica del niño tras el divorcio parental

«Cuando le digo a mi hijo lo malvada que es su madre, sé que no hago bien, pero me descargo y eso me hace sentir mejor.»

«Necesito preguntarle a mi hija cuando vuelve de casa de su padre que me describa todo lo que ha estado haciendo con su nueva pareja, dónde han ido, qué se han gastado, cómo vestía ella, si él le besa.»

«Su padre no le quiere y no me lo puedo callar; si le quisiera, actuaría de otra manera.»

«No estoy dispuesta a ver al padre de mi hija todos los fines de semana, y menos una tarde entre semana; poniéndole baile ese día se acaba el problema.»

«No soporto dormir sola/o desde la separación, prefiero dormir con mi hijo; así los dos nos sentimos más seguros y tranquilos.»

Éstas son algunas de las manifestaciones que consideramos de alto riesgo para la salud del niño, realizadas por padres separados.

Ser un padre responsable y actuar de forma madura, adulta, pensando en el bienestar de nuestros hijos y en su adecuado desarrollo psicológico no es una tarea personal sencilla, pero es fundamental para la salud del menor; en las situaciones de conflicto es más difícil, más complicado, ya que la persona está inmersa en una gran agitación emocional.

Como padres, divorciados o no, es importante que seamos conscientes de la gravedad de actuar no pensando en las necesidades del niño sino en las propias. A veces es muy difícil en una situación de separación controlar nuestra tristeza, nuestra ira, nuestra inseguridad, nuestro cansancio, y nos dejamos llevar. No siempre se tiene el dominio de sí mismo que haría falta, pero es importante no abandonar la «posición de padre».

La «mejor separación» es aquella en la que se da un mínimo conflicto explícito entre los padres y se mantiene al niño al margen de esos conflictos, por mínimos que éstos sean.

La repercusión de la separación se amortigua cuando se potencian al máximo las relaciones paterno filiales y se toman las decisiones relativas al niño pensando en sus necesidades, evitando que las diferencias de criterio, que por otra parte cualquier pareja tiene, se diriman en perjuicio de aquél.

Considerando que la separación y el divorcio de los padres representan una experiencia muy estresante para los hijos con consecuencias a corto, medio y largo plazo, como indica la Asociación Americana de Psiquiatría (APA, 1987), es urgente preguntarse cómo hay que tratar esta situación para minimizar el trauma emocional, valorar los factores capaces de amortiguar su impacto y contribuir a que el niño no desarrolle psicopatología.

En primer lugar, vamos a exponer todos aquellos factores considerados de riesgo para el menor ante una situación de separación de los padres; en segundo lugar, nos centraremos en los factores protectores, es decir, aquellos que ayudan al niño a amortiguar el impacto de la separación de los padres, disminuyendo el riesgo de psicopatología.

Factores de riesgo ante la separación

No es el divorcio por sí mismo el que determina las alteraciones en los hijos, sino ciertas variables que frecuentemente acompañan la ruptura de la familia y que están presentes posteriormente en la dinámica que se establece.

Enumeramos algunas de las variables que acompañan a la separación o el divorcio de los padres, y que se han señalado como *factores de riesgo,* es decir, factores que incrementan el riesgo de enfermar y, por tanto, la vulnerabilidad para el desarrollo de trastornos en los hijos.

Factores que incrementan el riesgo de enfermar

— Ausencia física y emocional de la figura parental que no convive habitualmente con los hijos.
— Los conflictos entre los padres antes y durante la separación.
— Conflictos postdivorcio entre las figuras parentales.
— Las discrepancias en las pautas educativas y en otros aspectos relativos al desarrollo emocional del hijo.
— Perder el contacto con familiares, amigos, profesores.
— Las relaciones padres-hijos de poca calidad.
— Los cambios en las condiciones económicas.
— Dificultades socioeconómicas en uno o ambos progenitores.
— Presencia de psicopatología en alguna o las dos figuras parentales.
— Actitudes victimistas en los padres.
— Dificultades de ajuste emocional en el niño, en el período del predivorcio.
— Múltiples cambios familiares: hogar, colegio, barrio, etc.

Actitudes paternas negativas y de riesgo para la salud psicológica del menor

— Impedir el contacto del niño con el progenitor no custodio.
— Devaluar la imagen del progenitor ante los ojos del niño.
— Insultar al ex cónyuge.
— Criticar al ex cónyuge.
— Impedir que los hijos tomen sus propias decisiones, interfiriendo en el curso de sus vidas: «prefiero que te quedes conmigo; si no, me siento muy solo/a».
— Sobreproteger al niño.

— Impedir que el niño asuma responsabilidades por lástima hacia él.
— Compartir con el niño los sentimientos que ha generado la separación (odio, rabia, agresividad).
— Transmitirle al niño los sentimientos negativos que se tienen hacia el otro progenitor.
— Considerar que es posible sustituir al padre/madre con una nueva pareja.
— Obligar al niño a llamarle padre o madre a la nueva pareja.
— Poner en contra a los hijos de las nuevas parejas de los padres: desvalorizarles, criticarles, hablar de ellos sin respeto y de forma descalificadora.
— Colocar al hijo/a en el papel de juez. Preguntarle ¿quién tiene razón, papá o mamá?
— Compartir detalles de la vida íntima, o detalles de infidelidades que dañan la imagen del otro progenitor.
— Cuestionar el comportamiento del ex cónyuge delante del hijo.
— Mantener discusiones delante de los hijos, utilizar el momento del relevo para discutir.
— Hacer sentir al niño culpable por desear ver al otro progenitor.
— Programar actividades que obliguen al niño a elegir entre ellas y la estancia con el padre no custodio.
— Poner a prueba la lealtad del niño.
— Discutir delante de los niños sobre la pensión.
— Utilizar a los hijos para comunicarse entre los padres.

Éstas son algunas de las *actitudes que no deberían adoptar los padres* después de la separación:

— Decir: ¡qué voy a hacer yo ahora!, ¡no sé si podré superar esto! Estos comentarios ponen de manifiesto los escasos recursos y la posición desvalida en la que se encuentra el progenitor.
— Adoptar posturas víctimistas que intentan conseguir la lástima. Esta actitud que se expresa ante amigos y familiares es captada por el niño y entonces éste siente necesidad de buscar un culpable que le ha hecho daño a su padre/madre.

— Mostrar apego excesivo como una forma de solucionar el problema de la soledad.
— Tratar al niño pidiéndole opinión o permiso en cuestiones que no son de su competencia: ¿quieres que papá tenga novia?, ¿te importa que salga esta noche?
— Decir: ¡cuando tu no estás, no me apetece salir! Telefonear frecuentemente al niño, la necesidad de saber donde está en cada momento y la incapacidad de reorganizar la vida después de la separación, ofrecen al niño una imagen materna/paterna dependiente. Esta situación bloquea el desarrollo de la independencia en el niño y alimenta una simbiosis patológica entre ambos.
— Despedirse del niño cuando éste se va con el ex cónyuge y decir en tono abatido: «no te preocupes por mí, ya se me pasará». Es evidente que el niño marchará preocupado por el estado en que deja a su padre/madre.
— Presentarse derrumbado ante los problemas personales, económicos o laborales. Preguntar al niño ¿qué puedo hacer?
— Delegar en los hijos excesivas responsabilidades domésticas que interfieran en sus estudios o impidan el desarrollo de una vida social acorde a su edad. Forzar al niño a vivir más como un adulto que como un niño.

Cuando el niño se responsabiliza del bienestar psicológico de su padre/madre, aquél se encuentra en una situación de alto riesgo. La sobrecarga de esta función dificultará su evolución natural como niño y afectará su salud psicológica.

A continuación describimos algunas de las frases que con frecuencia escuchan los hijos de padres separados y que inevitablemente suponen un riesgo para el niño. Son frases que no deben decir los padres a sus hijos.

Lo que no debe decirse a los hijos

— Le paso suficiente dinero a tu madre; ¿qué hace con él?
— ¿Creéis que vuestro padre va querer ocuparse de vosotros?
— ¿Creéis que con vuestra madre/padre vais a estar mejor?

— No quiero que os vayáis con vuestro padre/madre.
— Sé que con el/ella el niño no va a estar bien.
— ¡Eres igual que tu padre/madre! (en sentido despectivo).
— No es un buen padre/madre.
— ¡Es que no está bien de la cabeza!
— ¡Eso, díselo a tu padre/madre, que tiene más dinero que yo!
— ¡Claro, como con tu padre/madre, haces lo que quieres!
— ¡Si vivieras conmigo, estarías mejor!
— ¡Tu padre/madre tendría que estar en el psiquiátrico!
— ¡De aquí no te llevas nada a casa de tu padre/madre!
— Tu padre/madre sólo me da problemas.

La ropa del niño, sus juguetes y sus cuentos forman parte de sus pertenencias; el niño ha de sentirse libre de traer y llevar lo que quiera de una casa a otra. El sentimiento posesivo sobre él y sus cosas es un indicador del grado de incapacidad parental para entender las necesidades del niño.

Los hijos, tras la separación, necesitan padres fuertes, padres en los que confiar y que sepan enfrentarse a las situaciones de la vida. El padre inseguro y débil tambalea a su hijo, le obliga a ocupar una posición que no le corresponde. Si el niño ve a un padre preocupado, intentará calmarlo; si le ve triste, intentará alegrarlo; si le ve desvalido, tenderá a protegerlo. En definitiva, obliga al hijo a asumir funciones que no le corresponden. Se produce una inversión de roles en la que el niño se ocupa del adulto y actúa como un adulto. Se impide al niño crecer como niño, y en estas circunstancias es prácticamente imposible un desarrollo psicológico sano.

Factores protectores ante la separación

Los factores protectores son, como decíamos anteriormente, aquellos que influyen en el ajuste correcto de los niños/niñas tras el divorcio parental y que contribuyen a un buen pronóstico; nos referimos a aquellas circunstancias que pueden proteger a los hijos de las influencias perjudiciales del divorcio de sus padres:

Factores que contribuyen a un buen pronóstico

— Mantener relaciones continuadas con ambas figuras parentales, como factor de estabilización emocional de primera magnitud.
— Mantener ambas figuras parentales la función de parentalidad con sus hijos/as, respondiendo a las necesidades emocionales de éstos de forma adecuada.
— Habilidad de los padres para negociar con éxito los problemas relacionados con hijos/as.
— La capacidad de los padres de resolver y dejar al margen a sus hijos de los conflictos, peleas y resentimientos en que se ven inmersos.
— Transmitir al hijo respeto y aceptación por el otro progenitor.
— El niño tiene que sentirse con libertad para hablar con un progenitor del otro y con el resto de familiares.
— Minimizar los cambios familiares en la época del postdivorcio.
— Mantener las relaciones previamente establecidas con abuelos, tíos, primos.
— Soportes extrafamiliares adecuados (amigos, escuela, etcétera).
— Adecuada situación económica y cultural del entorno familiar.
— Buen ajuste emocional de los niños en la etapa previa al divorcio.

Otros de los factores que, se ha comprobado, contribuyen a una buena adaptación tras la separación son:

— Mantener la custodia compartida entre la madre y el padre.
— La adaptación de los hijos se ve favorecida cuando la custodia de los mismos la ejerce el padre del mismo sexo.
— La naturaleza de la relación entre el niño y la figura paterna del mismo sexo puede favorecer notablemente la adaptación.

— Que el niño mantenga una buena relación con al menos uno de los padres. Cuando el niño está sumergido en el seno de un conflicto familiar, y no es posible una buena relación con ambos, un factor de buen pronóstico lo constituye el mantenimiento de una buena relación con al menos uno de ellos; no parece existir diferencia significativa entre el hecho de que la buena relación se establezca con el padre o con la madre.

Los factores más importantes que determinaban la adaptación psicosocial de los niños dos años después del divorcio eran la cooperación entre los padres después del divorcio y la forma en que resolvían sus conflictos; cuando los ex cónyuges eran capaces de cooperar en las cuestiones relativas a las prácticas de crianza, era menos probable que los hijos presentaran un comportamiento agresivo y problemas de conducta. Por el contrario, cuando recurrían a la agresividad verbal para resolver los conflictos, el niño presentaba más problemas de conducta, una menor autoestima y menos conductas prosociales (Camara y Resnick, 1988).

Actitudes paternas positivas y de protección para la salud psicológica del menor

— Decirle al niño que el progenitor ausente le quiere mucho.
— Transmitirle al hijo: «Tu padre/madre y yo, podemos tener opiniones y criterios distintos, pero los dos son igualmente respetables y válidos».
— «Puesto que pienso de forma distinta a la de tu padre/madre, hablaré con él/ella y nos pondremos de acuerdo; ya te lo comunicaremos».
— «Llama ahora a papá/mamá, y le comentas esto, seguro que le alegrará.»
— Evitar las discusiones delante de los hijos: «Este asunto es decisión de papá y mamá; ya lo hablaremos nosotros».

Factores fundamentales de estabilización emocional

A continuación vamos a desarrollar algunos de los puntos citados anteriormente por considerarlos factores fundamentales de estabilización emocional en el niño tras la separación.

Mantener relaciones continuadas con ambas figuras parentales

Para muchos niños el divorcio no sólo significa la ruptura de la relación entre su padre y su madre; en muchos casos significa la ruptura de la relación con uno de sus progenitores, ya que generalmente la relación con el padre no custodio se ve seriamente afectada. Los efectos más nefastos se observan cuando el conflicto paterno precedente al divorcio es intenso, sobre todo cuando incluye a los niños y les impide tener una buena relación tanto con la madre como con el padre.

Mantener el contacto tanto con el padre como con la madre, debe ser una cuestión de prioridad para todos aquellos padres que tras la separación se enfrentan con la responsabilidad de organizar la vida de sus hijos.

La relación continuada con ambos progenitores está considerada como un factor de estabilización emocional de primera magnitud.

El niño necesita tanto a su padre como a su madre.

El niño no necesita menos a su padre porque esté separado o divorciado.

Otra cuestión de gran importancia es *la regularidad en las relaciones paternofiliales,* ya que amortigua los niveles de ansiedad que posteriormente a cualquier proceso de separación manifiestan los hijos. Nos referimos a que las relaciones con el padre discontinuo tienen que mantener una estabilidad y regularidad ya que desde el punto de vista psicológico crea mayor perturbación las visitas irregulares o imprevistas por parte de uno de los padres que la ausencia de éstas.

Minimizar los cambios familiares en la época del postdivorcio

Javier vivió la separación de sus padres con 8 años; actualmente tiene 19 años, lleva en terapia meses por presentar clínica depresiva con síntomas de ansiedad. Cuando analiza la separación de sus padres se emociona y llora, lo recuerda como un acontecimiento muy traumático en su vida: «Tengo la sensación de que mi vida se puso al revés; todo cambió; perdí a mi padre, sólo le podía ver cada dos semanas y no siempre; mi habitación, todo mi barrio, mis amigos de la calle; tuve que cambiar de colegio, de compañeros; la casa nueva a la que fuimos me resultaba tan extraña, me sentía con mucho miedo. Estaba tan triste que no quería ningún día ir al nuevo colegio ni al parque del nuevo barrio. Mi madre estaba muy cambiada, le notaba triste y se ponía "histérica" por cualquier cosa; si le decía que quería llamar a mi padre, me ponía mala cara y decía que había que ahorrar en teléfono; mi padre parecía que estaba enfermo, más delgado, cansado, apenas se arreglaba y el aspecto de su casa daba pena, tenía cuatro muebles y todo estaba bastante dejado».

A menudo, la separación de la pareja conlleva cambios de domicilio, con el consiguiente traslado de colegio, cambio de barrio, de amigos, demasiadas situaciones nuevas para afrontar. *Cuanto más se respete la continuidad en la vida del niño, más fácil será su adaptación,* hasta el punto de que en lo posible debe reducirse al mínimo la ruptura de la continuidad o al menos dilatarla en el tiempo. Aunque los niños tengan una gran capacidad de adaptación, el número de adaptaciones simultáneas a las que puede hacer frente son limitadas.

Ante los nuevos cambios, los niños necesitan mantener sus rutinas, y en sus primeras preguntas después de ser informados de la separación se evidencian estas preocupaciones: «¿podré seguir yendo a la piscina de los tíos?, ¿podrá venir mi primo a jugar conmigo?, ¿los sábados iremos a comer a casa de los abuelos?».

La adaptación es mejor cuando se permanece en el mismo espacio físico. Tanto es así que si los padres tienen esa posibilidad, lo mejor sería que la vivienda quede para los hijos. El lugar de residencia habitual de los hijos debería continuar siendo el mismo en el que han vivido con sus dos progenitores y donde permanecerán con uno de ellos.

Esto es válido no sólo para la casa, sino también para el colegio; en caso de divorcio está contraindicado que el niño tenga que dejar su escuela para ingresar en otra, le resultará difícil seguir el curso porque esta situación es una fuente de estrés nueva, ya que tendrá que adaptarse a un nuevo centro escolar con una organización distinta, normas distintas, nuevos compañeros...

Transmitir la importancia del otro progenitor

Es fundamental que el padre y la madre, así como las personas allegadas al mundo del niño y que puedan ejercer sobre éste una influencia notable, tengan presente que un niño para crecer sano y estable necesita que se respete la imagen de sus padres.

Muchas madres con una actitud posesiva respecto al hijo no hacen nada para que el padre sea importante en la vida de su hijo. El padre cobra importancia en la vida de un niño si la madre habla de él y según el modo en que lo haga. Son muchos los padres que afirman no hablar mal del padre o madre, pero no se trata sólo de no hablar mal, sino de todo lo contrario, hablar bien de la figura paterna o materna, enseñar al niño a querer y a respetar al padre o madre. Para que esto sea posible, es preciso aprender a separar las vivencias que se han tenido como pareja y no proyectarlas sobre la figura paterna/materna.

El niño que capta que su madre no acepta al padre, o viceversa (bien porque no habla de él, o a través del lenguaje no verbal), puede interiorizar este rechazo de forma inconsciente y puede sentir que si a su madre no le gusta, a él tampoco.

No se trata de justificarse como hacen algunos padres: «no, si yo no me opongo a que esté con su madre»; se puede adoptar un papel pasivo o por el contrario un papel activo en convertir a la otra figura parental en alguien importante en la vida del niño: alentarle a que le llame por teléfono, a que escriba cartas o mande mensajes por correo electrónico, a que cuando ocurra alguna noticia importante se le diga que llame a su padre/madre.

Realmente se puede decir que se transmite que el otro es importante cuando durante el tiempo en que no está con «el progenitor ausente» el progenitor continuo lo hace presente. En estas circunstancias es precisa la colaboración, no es suficiente la neutralidad.

La mayor parte de los niños necesitan el *«permiso psicológico»* para relacionarse con el padre no custodio.

«Isabel vive con su madre y los abuelos maternos desde la separación. La madre de Isabel no le ha dicho en ningún momento que no se vaya con su padre cuando viene a recogerla, pero todos los comentarios sobre su padre son muy negativos. Cuando viene a buscarla o a visitarla siempre hay alguien que comenta: ya está otra vez aquí, ¡qué pesado!, ¡es que no se da cuenta que es muy tarde!».

Es frecuente que las madres comenten que nunca se oponen a que su hijo/a se vaya con su padre cuando le corresponde; y es cierto que no le prohíben irse con él, pero existe una prohibición más profunda que está implícita. El menor capta el desacuerdo y descontento de la madre hacia el padre y hacia la relación que el niño mantiene con él/ella.

¿Qué es el permiso psicológico?

Recogería el conjunto de actitudes, sentimientos y valoraciones de un progenitor que es capaz de transmitir respeto y aceptación por el otro progenitor; asimismo, es capaz de crear un clima emocional en el que el niño se siente libre de relacionarse con su padre/madre y su mundo, sin captar desaprobación.

Cooperar en la disciplina educativa

Mantener distancia con los criterios educativos de la otra figura parental es una situación que observamos con mucha frecuencia en la práctica clínica. Generalmente el progenitor custodio se enfrenta a las tareas y rutinas cotidianas que implican un mayor grado de supervisión y coherencia en la disciplina. Por el contrario, durante el fin de semana y las vacaciones, la inexistencia de horarios y actividades hacen que este control no sea tan necesario. Esta situación ayuda enormemente al padre no custodio, que lo puede utilizar para sacar ventaja alimentando la imagen de buen padre.

Es frecuente oír al progenitor no custodio: «total, para dos días que estoy con él, no voy a llamarle la atención», «con el poco tiempo que le veo no le voy a negar lo que me pide». En ocasiones, en un intento más o menos consciente de comprar al hijo, se mantiene el rol de «bueno», se intenta que el niño capte las diferencias entre el estilo educativo del padre y de la madre. Esta forma de actuar suele presentarse en padres que se sienten muy inseguros y con miedo de no ser importantes en la vida de su hijo si se muestran firmes; también es característico de los padres que rivalizan con el otro progenitor.

Marta tiene 12 años y le pregunta a su padre si puede ir al campamento de verano organizado por el colegio, necesita confirmar su asistencia y pagar 300 €. Su padre contesta: «¡ah, no sé!, pregúntaselo a tu madre». Marta llama a su madre por teléfono y ésta le dice que no. La reacción de Marta ante la negativa no se deja esperar, se encierra en su habitación y llora desconsolada durante la tarde. Su padre decide entrar y le dice. «no te preocupes, yo te lo pagaré».

Se esté o no de acuerdo, con la respuesta dada por la otra parte, una vez dada, se debe respetar al 100 por 100. Y si de alguna manera se intuye que es posible que se explicite tal diferencia, debe evitarse a toda costa; por eso, esa llamada nunca debería haberla realizado Marta. Si en principio hubiera desacuerdo entre los padres en torno a la decisión, corresponde a los padres decidir conjuntamente qué harán, pero no mostrar excesiva discrepancia ante los hijos; debe evitarse que uno de ellos, guiado por la necesidad de demostrar su talante bondadoso, acceda a la petición del hijo.

Lo más adecuado hubiera sido que su padre y su madre hubieran consensuado una decisión, y si no hubiera sido posible, sería recomendable que uno de los progenitores cediera.

Si uno de ellos quiere asumir el pago del campamento y la otra parte se opone, tampoco es necesario que esta información llegue a

Marta. Si uno considera que pagar el campamento beneficia a su hijo y el único obstáculo es el dinero, y lo puede pagar, pues lo paga y punto. Se deben evitar los reproches para minar la imagen del otro.

Es evidente que Marta interpretará los comportamientos diferentes de sus padres, y una lectura fácil le puede llevar a interpretar y confundir el permisivismo con el afecto. El permisivismo es utilizado por algunos padres para garantizarse el que sus hijos prefieran vivir con ellos y solicitar cambios en la asignación de la custodia.

Los profesionales deben ser extremadamente cautos cuando un menor solicite un cambio de custodia y que tal decisión esté determinada por las discrepancias educativas entre sus padres. En tales condiciones sería contraproducente que se realizase, incluso aunque hubiera otros factores que lo aconsejasen. Primero se debe intervenir para resolver las discrepancias, y posteriormente, cuando estén resueltas, solicitar el cambio de custodia si se considerase aconsejable.

La cooperación implica que ambos mantengan algún grado de comunicación para hablar de las rutinas familiares, los horarios de alimentación y sueño, las prácticas educativas, los programas de televisión, las actividades que se le permiten realizar, etc. Si los criterios seguidos por cada uno de los padres son diferentes, ambos deben consensuar como adultos las pautas que seguirán con sus hijos.

Evitar el permisivismo y la sobreprotección

En muchas ocasiones, es la inseguridad en la valía personal lo que provoca comportamientos permisivos y excesivamente tolerantes con las conductas del niño. Son muchos los padres/madres que temen no ser «buenos padres». Este temor les impide ejercer adecuadamente el rol parental: enseñar al niño a tolerar la frustración, negarle cosas, no satisfacer todas sus demandas, demorar la satisfacción de sus deseos. Algunos padres creen que estos comportamientos pueden «provocar traumas» y evitan el ejercicio de estas funciones. El tan extendido uso de la palabra «trauma» ha llevado a pensar a buena parte de la sociedad que negar al niño un deseo o un capricho es traumatizarlo; frustrar no significa traumatizar, la vivencia de la frustración es necesaria en la infancia y permite una mejor aceptación de la realidad.

Los niños necesitan límites claros, lógicos, coherentes y justos, tanto por parte de la madre como del padre, independientemente de que estén separados o no.

Paco es hijo de padres separados y vive con sus abuelos y su madre. Ésta, guiada por el sentimiento de lástima hacia su hijo, es extremadamente indulgente; una de las frases más repetidas en casa es «anda, déjalo, bastante tiene ya». Paco ha captado que sólo basta con exigir, pedir e insistir para conseguir lo que quiere: compras casi diarias, chucherías, juguetes. A esto hay que unirle que cuando juega con ellos siempre le dejan ganar, le permiten ser el primero en todo, porque es pequeño y para que no lo pase mal... Estas actitudes le hacen creer equivocadamente a Paco que es muy fácil tener todo lo que uno quiere, conseguir rápidamente lo que le apetece, que no hay que esperar, que puede ser siempre el primero. El problema surge cuando se enfrenta a un mundo, el colegio, y la calle, donde las cosas no funcionan del mismo modo, donde sus amigos no le dejan ganar y tiene que guardar turno, compartir y perder. El medio familiar le engaña haciéndole vivir una realidad que no existe; de ahí sus problemas de adaptación al entorno escolar y social.

Esta confusión sobre las funciones del rol parental llevan a aplicar muy laxamente la disciplina que la educación de los hijos requiere. Las consecuencias de una educación laxa se hallan ampliamente documentadas en los manuales de psicología.

[illegible]

[illegible]

[illegible]

[illegible]

Situaciones específicas de alto riesgo tras la separación

Más que el divorcio en sí, el lugar que el niño ocupa en el conflicto de sus padres es el determinante de su evolución psicológica.

A continuación exponemos diversas situaciones que conllevan un riesgo grave para el desarrollo emocional del niño y que propician la aparición de alteraciones psicológicas en la infancia.

El niño hipermaduro

Algunos niños aparentan una madurez superior a la de compañeros de su misma edad. En parte lo son, ya que la desmitificación prematura de los padres les obliga a ser más independientes. Algunos autores plantean que estos niños son más autónomos, tienen menos supervisión por parte de los adultos, pasan menos tiempo en su compañía y tienen una mayor influencia en la toma de decisiones familiares.

No obstante, hay que estar alerta frente a determinadas respuestas que los padres interpretan como un signo de madurez. *«Desde que nos hemos separado parece un hombrecito.»* Esta reacción, interpretada por los padres como un signo del grado de comprensión del divorcio, enmascara emociones que al no aflorar repercuten negativamente en el desarrollo emocional del niño. Tras esta supuesta madurez o indiferencia, puede encontrarse un niño que sufre en silencio y que no se atreve a expresar lo que siente.

Hay niños que cuando ven sufrir a sus padres se angustian de tal modo, que *aparentan que la noticia de la separación no les afecta. Disimulan el impacto que provoca en ellos, aparentan que nada de lo que se les ha dicho les importa y no expresan sus sentimientos. Creen que sus padres sufrirán más si los ven preocupados, y por eso ocultan lo que piensan.* Los padres interpretan que la noticia no les ha afectado y que la han asimilado con enorme madurez.

Muchos niños comienzan a actuar como si tuvieran más edad de la que tienen. Si captan que la madre se siente sola ante la ausencia de la pareja, intentan ocupar el lugar del progenitor ausente. Hacen de «maridos» y acompañan a la madre; se quedan en casa, se convierten en pequeños «hombrecitos» y «mujercitas» al lado de sus padres. En otras ocasiones, se convierten en «padres o madres», hacen las tareas domésticas, cuidan de sus hermanos, limpian la casa, etc. El entorno capta que el niño se vuelve más responsable, más adulto, renunciando progresivamente a intereses propios de su edad.

En ocasiones, son los adultos los que colocan en esta posición al hijo; sin ser conscientes de ello, mandan mensajes que son recogidos por los niños y éstos intentan satisfacerles; aunque también puede suceder que el niño se coloque él en esta posición de riesgo. En un caso y en otro, es necesario que el adulto no permita el desempeño de este rol.

El niño espía

Saber del ex cónyuge a través de los hijos es uno de los errores que más frecuentemente cometen las parejas ya separadas. Esta curiosidad no controlada lleva a preguntas para conocer qué hacen y qué lugares visitan durante su estancia de fin de semana, a qué personas nuevas han conocido y si papá o mamá tienen novio/a. Cada una de estas preguntas se formula bajo un aparente tono de curiosidad que intenta no delatar la auténtica razón de su formulación.

— «¿Lo pasaste ayer bien con tu padre?» Si el niño contesta que sí, su madre puede sentirse traicionada si rivaliza «para ser mejor» que el padre; pero si el niño contesta que no, la madre puede utilizarlo para cuestionar las habilidades de un padre «que es incapaz de lograr que su hijo se divierta».

— ¿Qué hiciste durante el fin de semana? Si el niño contesta que fue a visitar a su abuela y a sus tíos, la madre puede argumentar que el padre no se hace cargo del hijo, «lo único que sabe hacer es colocarlo en casa de su madre o su hermana», y si contesta que han salido durante el fin de semana y han hecho un viaje, lo utiliza para hacer un balance del nivel económico y para quejarse del retraso en el pago de la pensión.

— ¿Conociste algún nuevo/a amigo/a de papá/mamá? Es obvio que esta pregunta tiene varios objetivos: saber si el ex cónyuge sale con otras personas, si las ve en presencia del niño y qué importancia pueden tener en su vida. En esta situación, cualquier respuesta dada por el niño podrá «ser utilizada» en contra del otro progenitor y por consiguiente dañar al hijo.

A su vez, las respuestas dadas por el niño provocan reacciones emocionales en los padres que difícilmente escapan al hijo/a.

«Patricia comenta que ha conocido a una amiga de papá, su madre le pregunta si le pareció guapa y Patricia contesta que sí; acto seguido su madre da un tirón a su mano y decide marcharse a casa porque ya se ha hecho muy tarde.»

Esta brusca interrupción de su salida hace pensar a Patricia que algo de lo que ha dicho ha molestado a su mamá, que además ha cambiado repentinamente su estado de ánimo.

Por eso, Fernando, de 9 años, comenta que *«la nueva novia de su padre es fea, gorda y antipática»;* sabe que el silencio y determinadas actitudes de su madre ante estos comentarios significa que le agradan; lo último que desea Fernando es enfadar a su madre.

El niño se encuentra ante un conflicto de lealtad ante estas preguntas, sabe que sus respuestas van a ser utilizadas. Si no contesta, desagrada a uno de sus padres, y si contesta, sabe que sus respuestas provocarán un enfrentamiento entre ellos. Además, al contestar, el otro progenitor se dará cuenta de que «él ha contado cosas» y es posible que se enfade. ¿Qué hacer? El niño no quiere desagradar, ni defraudar a dos personas a las que necesita, quiere manifestar su lealtad a los dos, pero ¿cómo conseguirlo? Inevitablemente, esta situación deja inmerso al niño en una situación de conflicto.

Son muchos los niños que parecen sufrir de amnesia ante las insistentes preguntas de los padres sobre lo que han hecho, comido, con quién han jugado y a quién han visitado. Las evasivas del niño son un intento de disuadir a los padres de su curiosidad, aunque a veces éstos insisten de tal manera, que el niño se queja ante el interrogatorio. Es entonces cuando el padre o la madre contesta en un tono airado: *«hijo, lo único que quería saber era si te lo habías pasado bien»*, tono que, por otra parte, tiene por objetivo culpabilizar al niño por su queja y deja a éste sin posibilidad de expresar su desagrado.

Todo ello lleva a situaciones de angustia, ansiedad, tristeza, el niño se vuelve más reservado, más serio, evita quedarse a solas con el padre/madre para no ser interrogado. Es importante que padre y madre dejen al margen la necesidad de satisfacer su curiosidad o la necesidad de calmar sus miedos e inseguridades a través del niño.

El niño dividido

Después de la separación, son muchos los padres que sienten necesidad de negar la existencia del otro. En un intento de borrarlo, no se le nombra, se ignoran acontecimientos relevantes vividos por el hijo durante su estancia con él/ella y las preguntas no existen. El hijo puede venir con un juguete y el padre no pregunta ¿quién te ha regalado esa pelota? Aquello de lo que no se habla se convierte en tabú para el niño, y éste aprende que no debe hablar de nada relacionado con su padre/madre. *Muchos aprenden a llevar una doble vida, saben que cuando están con uno, no deben existir signos o muestras de la relación con el otro. Esta situación les fuerza a vivir en una realidad dividida.*

«Paco regresa a casa después de pasar el fin de semana con su padre; en el coche, intenta disimuladamente quitarse el reloj que éste le ha regalado por su comunión, y en el ascensor, rápidamente se pone el que le regaló su madre; todos los fines de semana repite esta operación entre el miedo y la angustia.»

Paco no quiere desagradar a ninguno de sus padres, ni quiere que piensen que tiene preferencias por los regalos de uno. Teme que si se dan cuenta, se enfaden o le chantajeen: *¡vaya, es que prefieres el otro reloj, pues éste me costó muy caro!*

Paco no quiere oír ningún comentario de este tipo, sus padres no se dan cuenta de que *le impiden ser libre, le obligan a elegir entre «sus dos mundos».*

«Cuando mi hijo esté conmigo, no quiero que el otro y su mundo existan.»

Con frecuencia la negación del otro progenitor se extiende al resto de familiares. Nadie nombra al padre cuando el niño está con la madre o con la familia de ésta; nadie nombra a la madre en presencia del padre o de su familia, el silencio se impone. *El intento de negar o borrar a un progenitor constituye un hecho de graves repercusiones para el menor.*

El niño mensajero

«Mamá, necesito llevarme ropa porque el domingo papá tiene una boda.» «¡Dile a tu padre que si quiere llevarte bien vestido, que te compre ropa él!»

Diálogos como éste se producen con frecuencia en las interacciones entre padres e hijos. Independientemente de quien tenga razón, si un progenitor entiende que el otro debe colaborar en la compra de más vestuario, no debe utilizar al niño de mensajero. El conflicto es entre los adultos; de nuevo tenemos una situación que deben solucionar los padres y en la que se involucra al niño por la incompetencia de éstos para resolverla. Si tú como padre no puedes resolverlo, no utilices a tu hijo, él no tiene capacidad de resolución ni de actuación. En la mayoría de los casos, esta actitud sólo sirve para descargar la rabia y la agresividad contra el progenitor, pero se utiliza al destinatario equivocado: el niño.

Al dejar al menor en medio y colocarle en la posición de informar al otro progenitor, lo convertimos en un niño mensajero. Los padres deben evitar que los niños se conviertan en los transmisores de la información entre ellos.

Los siguientes ejemplos son representativos de esta situación:

— «Pregúntale a tu padre a qué hora te va a traer.»
— «Dile a tu padre que si no está aquí a las ocho, el próximo fin de semana no te ve.»
— «Le dices a tu madre que le toca a ella comprarte la ropa de campamento.»
— «Le dices a tu padre que si no nos pasa más dinero, te quito de la academia.»

El niño colchón

«Pedro le dice a su ex mujer que el próximo fin de semana se van de campamento y que no olvide echarle a los niños ropa de abrigo y de deporte. Al llegar el fin de semana, los niños preguntan: ¿mamá has echado la ropa que dijo papá? La madre contesta: ¡a ver si se cree vuestro padre que voy a hacer lo que él diga!

Al deshacer las maletas, el padre comprueba que no les ha mandado nada de lo que le dijo. Pedro reacciona colérico y realiza comentarios despectivos e insultantes hacia la madre de los niños. Los niños pasan inmediatamente a excusar a la madre y comentan que no han traído la ropa porque estaba mojada y a ellos se les había olvidado recordárselo.»

El término «niño colchón» se utiliza para describir al niño que amortigua el conflicto entre sus padres. Los padres descargan sobre el hijo la rabia ante las actuaciones malintencionadas del ex. El niño soporta descalificaciones y desvalorizaciones de un progenitor contra el otro. En ningún momento los delata, a pesar de que es consciente de la realidad que vive. Silencia lo que oye y utiliza la excusa para justificar comportamientos y actitudes parentales. Es un niño que tiene una gran capacidad para captar lo que crea conflicto entre sus padres y siempre intenta minimizarlo. Intenta amortiguar «las agresiones» que sus padres se dirigen entre sí, y para ello, si es necesario, miente o se responsabiliza él mismo de las actuaciones paternas. El niño colchón no desvela la verdad de lo que ha sucedido, se convierte en testigo mudo de la situación.

El niño confidente

Algunos niños han sido utilizados como confidentes del conflicto de pareja por uno de los padres. Hay padres que comentan su insatisfacción y malestar en la pareja e incluso el deseo de separarse. El niño no está preparado para asimilar este tipo de información: se le hace depositario de confidencias, a veces de infidelidades, e incluso de detalles de vivencias íntimas. En estos casos, los hijos se sienten muy culpables y traidores ante el otro progenitor porque tienen una información que les afecta y que ocultan. Al mismo tiempo sufren en silencio la angustia por una posible ruptura, ruptura que es anunciada a veces con años de antelación, y que el niño nunca sabe cuándo sucederá. La inseguridad e incertidumbre ante esta posible situación puede dañar la estabilidad psicológica del menor.

En muchas ocasiones estas confidencias tienen por objetivo dañar la imagen del progenitor, y en otras, el adulto utiliza al niño como una figura de apoyo emocional. Ambas situaciones son igualmente graves.

El niño víctima del sacrificio de su madre/padre

No hay nada más terrible para un niño que una madre que le diga: *«lo he sacrificado todo por ti»,* es decir, cuando la madre vive como una falsa viuda o en una falsa soltería (Dolto, 1989). Algunas mujeres, abrumadas por las funciones y deberes de la custodia, viven como si no dispusieran de libertad. Es entonces cuando el niño crece sintiendo que es una carga y piensa que su madre lamenta su existencia por el tono de reproche que capta en sus palabras.

«He renunciado a todo por ti.» Cuando se le dice esto a un hijo se crea un intenso sentimiento de culpa en éste. El niño que vive con estas lamentaciones crece con una hipoteca, puede sentir que no tiene

derecho a nada. Esta situación le obliga a situarse en el rol del hijo «bueno y perfecto». Se anula la posibilidad de que se desarrolle como un niño normal porque en todo momento teme este reproche. El niño crece evitando en sus actuaciones y actitudes ser una «pesada carga» o «se rebela psíquicamente» con alteraciones psicopatológicas.

El niño ante un conflicto de lealtad

El niño quiere a su padre y a su madre, depende emocionalmente de ellos. Esto significa que para sentirse bien necesita agradarles y que éstos le transmitan aceptación. Pero hay situaciones en las que al niño le resulta imposible agradar a dos personas con intereses contrapuestos. Surge entonces el conflicto, quiere ser leal a los dos, no quiere defraudar a ninguno; si lo hace, puede que se enfaden con él o que le muestren su decepción o desagrado. El niño piensa que cualquier opinión, actitud o comportamiento que no sea del agrado de su padre o de su madre será interpretado como una deslealtad. El hijo sabe que ante una elección, motivo de conflicto entre sus padres, agradará a uno ellos pero irremediablemente decepcionará al otro. Esta situación es lo que los profesionales denominamos como conflicto de lealtad.

Cuando los padres transmiten a su hijo que debe ser él el que elija con quien desea vivir se le coloca ante un conflicto de lealtad. Es responsabilidad de los padres tomar las decisiones sobre su futuro aunque se hayan separado. Son ellos los que deben acordar cuál será la situación que mejor conviene al menor. No se debe delegar una responsabilidad de este tipo en el niño por el hecho de que la pareja sea incapaz de llegar a un acuerdo. Si a ellos les resulta muy difícil por el conflicto abierto que mantienen, también lo es para el niño, aunque por una razón bien distinta, porque los quiere a los dos, y elegir se interpretará como una preferencia. Del mismo modo que no se le confían determinadas decisiones al niño, bajo ningún concepto debe trasladársele esta cuestión cuando éste es pequeño.

No es conveniente preguntar al hijo: ¿con quién prefieres vivir, con papá o con mamá? Esta pregunta se formula a veces en el entorno familiar e incluso abogados y jueces abordan directamente esta cuestión. Supone una presión psicológica que excede la capacidad de adaptación del menor. Creemos que *hasta una edad determi-*

nada el niño tiene que saber explícitamente que está al margen de tal decisión. Estas situaciones propician que el niño se convierta en «verdugo», porque se siente legitimado para valorar y enjuiciar a sus padres y éstos dependen de sus juicios.

En nuestra experiencia hemos constatado cómo la preferencia expresada por el niño, inducida o no, es interpretada como una validación de las funciones parentales, es decir, alimenta la autoestima de los padres y satisface enormemente el ego de la persona. Por eso, cuando no se es elegido, los padres pueden utilizar múltiples recursos para defenderse: crear sentimientos de culpa en el niño, mandarle mensajes de rechazo afectivo, crearle inseguridad... Son estrategias utilizadas por el adulto que dañan gravemente el equilibrio del menor; entendemos que son estrategias utilizadas inconscientemente, pero los padres que se encuentren en proceso de separación deben reflexionar sobre el modo en que actúan ante esta situación. Serán muchos los que al leer estas páginas piensen que a ellos no les ocurre esto; sin embargo, los porcentajes de litigio en los separados por la custodia y el régimen de visitas ofrecen una realidad bien distinta: es enormemente difícil aceptar que el ex cónyuge ostente la custodia o mantenga una relación buena con los niños: genera inseguridad en la propia valía, no se acepta, se entra en competencia con el otro y se buscan mil argumentos para invalidarlo.

El hijo alineado con un progenitor. El niño bajo el síndrome de alineación parental

«Eva se niega a ir con su padre los fines de semana, la niña verbaliza que prefiere quedarse con su madre porque con su padre se aburre. Cada vez que su padre viene a recogerla se pone a llorar y se resiste a ir; han pasado ya varios meses y su padre no consigue convencerla. La madre entiende a su hija, porque Francisco, su padre, es muy soso, no tiene detalles con ella, no le compra juguetes, se limita a darle regalos en las fechas señaladas; es callado, no tiene conversación y no sabe ganarse a su hija. La madre la entiende perfectamente porque a ella le ocurría igual.»

A la madre de Eva, Francisco, su ex, no le ha servido como hombre y duda que pueda servirle a su hija como padre. Por eso envía mensajes negativos sobre el padre para conseguir que su hija lo invalide como figura parental. La niña no tiene el permiso psicológico de su madre para relacionarse con el padre.

En las sesiones de diagnóstico se constata que Eva siente que agrada a su madre verbalizando quejas sobre su padre. Tiene miedo a que su madre no acepte sus sentimientos, a que si dice lo que siente, le rechace. *El niño alineado tiene miedo a ser independiente en sus sentimientos.* Eva capta que su madre rechaza a su padre, y que su madre va a estar más contenta con ella si ella también rechaza a su padre.

Esta situación emocional se describe en la literatura psicológica como *«el síndrome de alineación parental»* (Gardner, 1989). A continuación ejemplificamos con otro caso dicho síndrome.

En diciembre de 1986 nace C., cuyos padres conviven juntos sin estar casados. En junio de 1988, los padres se separan y la madre se va con su hijo a vivir a otro lugar. A partir de julio de 1991, la madre impide que el padre vea a su hijo. Éste inicia un largo recorrido judicial para lograr que se reconozca su derecho de visita aunque las sucesivas instancias alemanas se lo deniegan. Por último, recurre al Tribunal Europeo de Derechos Humanos, que, en una sentencia dictada en julio del 2000, le concede el derecho de visitas alegando que el niño se encuentra bajo el síndrome de alineación parental, síndrome que explica la negativa de éste a relacionarse con el padre; *para entonces, ha pasado diez años sin ver a su hijo.*

El «caso Esholz» contra Alemania fue visto por el Tribunal Europeo de Derechos Humanos, de cuya sentencia se recogen algunos pasajes:

— *Desde noviembre de 1985, el padre convivió con la madre del niño y con su hijo, nacido fuera del matrimonio el 13 de diciembre de 1986. El 9 de enero de 1987, el padre reconoció la paternidad y aceptó la responsabilidad del mantenimiento que cumplió regularmente. Mantuvo contacto hasta julio de 1991, fecha en la que se interrumpen las visitas.*
— *El padre intentó ver a su hijo bajo la mediación de la oficina de la infancia y la adolescencia, y en diciembre de 1991 un funcionario de dicha oficina recogía el deseo de C. de no tener más contacto con su padre.*
— *En agosto de 1992, el padre solicitó al Tribunal de Distrito un fallo en que se le reconociera el derecho de visita. Dicho tribunal, tras la vista celebrada el 4 de noviembre de 1992, desestimó la so-*

licitud del padre. El niño había sido oído y había manifestado que no deseaba ver a su padre, quien, según el niño, era malo y había golpeado a su madre en repetidas ocasiones. *Ante estas declaraciones, el tribunal llegó a la conclusión de que el contacto con el padre no mejoraría el bienestar del niño.*

— *Una nueva solicitud del padre fue desestimada en diciembre de 1993. Refiriéndose a su fallo anterior, el tribunal señaló que la relación del padre con la madre era tan tensa que el régimen de visitas no era de interés para el niño. Si el niño tuviera que estar con el padre contra la voluntad de la madre, experimentaría un conflicto de lealtad al que no podría hacer frente y que afectaría a su bienestar.* El niño había llamado a su padre «asqueroso» y añadido que no deseaba verlo en modo alguno y había dicho también: «mamá dice que Egbert no es mi padre», «mamá tiene miedo a Egbert».

— Estas declaraciones del niño *eran, según la alegación del padre, sumamente importantes, ya que* mostraban que la madre predisponía al niño contra su padre y lo hacía víctima del síndrome de alineación parental; a consecuencia de ello, el niño rechazaba cualquier contacto con su padre. *El padre solicitó un informe a un perito especialista en psicología infantil; dicha petición fue denegada por parte del tribunal. El informe hubiera puesto de manifiesto que la madre influenciaba al niño y lo utilizaba contra el padre. Por este motivo, la decisión del tribunal de no designar un experto no sólo constituía una violación de los intereses del padre, sino también de los del niño, ya que el contacto con el otro progenitor beneficiaba al niño a medio y largo plazo.*

La negativa de un niño a relacionarse con uno de sus progenitores ya es de por sí un problema que requiere de intervención psicológica. El estudio psicológico de dicha negativa permitirá averiguar si está presente dicho síndrome. En el caso de que sea así, es responsabilidad del progenitor alineador colaborar en su resolución terapéutica. Ningún menor debe crecer rechazando a uno de sus padres, por las graves consecuencias que de ello se derivarían.

En la sentencia anterior se esgrime como argumento que debido al conflicto de lealtad en el que se encuentra el niño la comunicación con el padre perjudicaría al niño. Sería un grave error permitir que el niño siga bajo esta situación de presión; el problema ha de resolverse; la ruptura de la comunicación con el padre agravaría aún más la situación.

Bajo este síndrome el niño desarrolla una actitud crítica hacia uno de sus progenitores y se niega a mantener relación con él predispuesto por el otro. Gardner (1989) considera que el síndrome se encuentra presente en el 90 por 100 de las disputas por la custodia de los hijos, siendo la madre la responsable en un 90 por 100 de los casos. Para este autor existen diversas estrategias que contribuyen al desarrollo de este síndrome:

— Indisponer al niño con comentarios negativos o sarcásticos sobre el progenitor.
— Transmitir al niño información que pueda enturbiar la imagen del padre.
— Trasladar al niño la decisión de visitar.
— Hacer que el niño se sienta culpable por querer estar con el otro progenitor.
— Utilizar una vinculación fuerte con el hijo para debilitar la que tiene con el otro progenitor en vez de fortalecerla.
— Castigar emocionalmente cuando el niño expresa sentimientos positivos hacia el otro progenitor.

Es el temor a ser abandonado lo que obliga al niño a alinearse para poder así sobrevivir psicológicamente, y se termina compartiendo las mismas creencias, ideas y comportamientos del padre alineador. El niño tiene miedo a no ser querido, ante lo cual reprime todos sus sentimientos y presenta una imagen ante el progenitor con la que garantizarse su aprobación; de este modo, el niño no desarrolla adecuadamente su identidad.

Hemos relatado dos casos, pero son muchos los ejemplos que podríamos poner sobre este tipo de problemática. Las siguientes frases recogidas de entrevistas clínicas reflejan intentos de alinear a los hijos.

— *«Hazme caso, dile a tu padre que no vas a ir.»* La presión se ejerce directamente sobre el niño para que éste se niegue a las demandas del padre; se obstaculiza y boicotea la relación entre el padre y el hijo.
— *«Yo quiero lo mejor para ti.»* Cuando un progenitor lanza esta frase, probablemente sea incapaz de entender que lo verdaderamente mejor para el niño no coincide con sus deseos de adulto.
— *«Vuestro padre nos abandonó para irse con otra mujer.»* Se presenta al progenitor como culpable de la separación, se tiñe negativamente su imagen.
— *«Vaya, tu maravilloso padre te ha comprado algo.»* Se utiliza la ironía para devaluar la imagen del padre.
— *«Vuestro padre prefiere estar con su novia que con vosotros.»* Se le hace dudar al niño del afecto que el padre tiene por él, y quizá éste para defenderse del dolor se aparte y se distancie.
— *«Ya sabéis que a mí me da igual que vayáis con vuestro padre.»* No es suficiente «me da igual», el niño necesita oír «quiero que te vayas con tu padre, él te quiere mucho».
— *«Tu padre me ha hecho mucho daño y no quiero que te haga daño a ti.»* Se envía un mensaje para que el niño tenga miedo al padre.

El padre/madre alineador se muestra incapaz de aceptar:

— Que su hijo quiere a su padre y a su madre.
— Que el niño necesita a su padre y a su madre.
— Que el niño se siente bien con los dos.

El síndrome de la madre maliciosa

«Alejandra tiene doce años, sus padres se separaron hace diez y actualmente todavía está abierto el proceso judicial en torno a la custodia y el régimen de visitas. En un primer momento se estableció un régimen de visitas para el padre en el que podía visitar a su hija en el domicilio materno y tenerla consigo durante todos los días dos horas. Posteriormente,

una vez que la niña cumple los tres años de edad, se modifica este régimen, pasando a fines de semana alternos, dos días a la semana de cinco a siete de la tarde y la mitad de los períodos vacacionales.

Durante los primeros años, después de la separación, Lidia, la madre de Alejandra, impide la comunicación regular del padre con la hija. Siempre había una excusa: «La niña está enferma, no te la puedes llevar», «han venido familiares y no se puede ir», «no se puede poner al teléfono porque está en la ducha»... Posteriormente intenta legalizar esta negativa y Lidia presenta una demanda solicitando cambios en el régimen de visitas argumentando que entre semana el padre interfería en las actividades extraescolares de la niña. Los intentos de reducir y eliminar el régimen de visitas se repiten sucesivamente durante estos años.

Durante todo este tiempo las conclusiones emitidas en los informes periciales dictaminan la conveniencia de la continuidad en la relación padre-hija Se considera satisfactoria la relación entre la menor y su padre, por lo que se desestiman todas las demandas presentadas por Lidia.

Cuando Alejandra tiene siete años, la madre pide el traslado a otra ciudad, y es entonces cuando Gustavo, el padre de Alejandra, nos consulta preocupado por la situación emocional de su hija. La niña presenta indicadores de tristeza, ansiedad, preocupación y miedos diversos.

El estudio realizado evidencia una personalidad hipermadura: Alejandra se siente responsable de la felicidad de sus padres y presenta niveles altos de culpabilidad, sintiéndose ella el motivo principal de los conflictos entre ambos. Refiere miedo ante la reacción materna si expresa los sentimientos de afecto o necesidad que siente por su padre. Desea relacionarse con ambos progenitores y tiene miedo a perder la relación con su padre al trasladarse fuera. Experimenta ansiedad ante las desvalorizaciones realizadas por la madre de la figura paterna y su estado emocional se caracteriza por sentimientos de tristeza, angustia, culpa e intranquilidad.

Realizada la valoración en base a las entrevistas y pruebas diagnósticas, concluimos que en ese momento, Alejandra presenta indicadores de ansiedad y depresivos importantes desde el punto de vista clínico, e indicadores de conflictividad en la relación con la figura materna.

De las entrevistas realizadas a Alejandra recogemos algunas de sus verbalizaciones:

— *«Mi mamá siempre está diciendo cosas malas de mi papá y no me gusta, piensa que es muy malo y que no me quiere.»*

— *«Si le digo a mi mamá que quiero estar con mi papá, se enfada mucho.»*

— *«Me da miedo mi mamá.»*

— *«Cuando me voy con papá, mi mamá me pone más deberes, aparte de los que me manda mi seño, y no puedo jugar con mi papá.»*

Al comentar los resultados con la madre, ésta niega la validez del estudio realizado. Considera que su hija no tiene una relación afectiva importante con su padre, que no le necesita y que tampoco le va a importar perder la relación con él. No admite que la situación que la niña está viviendo pueda influir en su desarrollo emocional ni en su estabilidad psicológica; por tanto, no considera necesario recibir asesoramiento psicológico, negándose a dicha posibilidad.

Realizado el traslado, las dificultades de Gustavo para comunicarse y visitar a su hija se complican cada vez más. A pesar de las denuncias repetidas, la correspondencia era intervenida, las llamadas telefónicas no eran posibles y cuando el padre iba a verla no le abrían la puerta de la casa. Pasan meses sin contacto entre Alejandra y su padre y llega un momento en que la niña pide a su padre que no vaya más a visitarla. A pesar de ello, el padre continúa por todas las vías legales el camino para recuperar la relación con su hija.

Ante el requirimiento judicial para que la madre cumpla con lo estipulado en el convenio, ésta denuncia que la niña había sido víctima de abuso sexual por parte del padre. Se abre un nuevo proceso durante el cual se le suspenden las visitas a Gustavo durante dos años. Alejandra relata el abuso ante dos profesionales que corroboran la veracidad de lo que la niña declaraba. Posteriormente, el análisis de la fiabilidad del testimonio realizado por la menor demostró que no existió abuso. Este último informe realizado por especialistas fue determinante para conceder nuevamente un régimen de comunicación y visitas al padre.

Iniciado un proceso de psicoterapia, la niña revela al terapeuta que su madre le indujo a declarar en contra de su padre relatando un testimonio falso. «Era tal el miedo que sentía, que no me atrevía a decir la verdad, a pesar de saber que mi padre podía ir a la cárcel.»

El síndrome descrito por Turkat (1994, 1995) de la madre maliciosa se refiere a la figura materna. Este autor informó que sólo había encontrado un caso de un padre que reuniera todos los criterios; pero quizá se deba al hecho de que actualmente son las mujeres las que mayoritariamente ostentan la custodia.

Los cuatro criterios que se encuentran presentes para realizar su diagnóstico son los siguientes:

1. *La madre intenta injustificadamente castigar a su ex marido.*

   Para castigar al ex cónyuge se pueden utilizar diversas estrategias: indisponer al niño contra el progenitor, implicar a otras personas en sus actos maliciosos o mantener litigios judiciales durante años.

   Para manipular la situación implican a otras personas en los actos maliciosos contra el ex cónyuge, pueden mentir a un terapeuta y conseguir que testifique a su favor e incluso conseguir que envíen cartas anónimas a su ex. El objetivo es privar al padre de la etapa infantil del hijo.

2. *Interfiere en el régimen de visitas y en el acceso del padre a los hijos.*

   Dificultar, obstaculizar o impedir el acceso a los hijos es un arma segura con la que dañar al otro. Cuando el padre va a recoger al hijo, éste no se encuentra en casa, se planifican actividades extraescolares que coinciden con el horario de visita, no se permite el contacto telefónico y se impide al progenitor la participación en la vida escolar, en las actividades extracurriculares o en otros acontecimientos significativos en la vida del niño.

3. *Se produce un patrón de actos maliciosos contra el padre.*

   El patrón de actos maliciosos contra el padre consiste en mentir a los niños contándoles que no es su padre, que no paga la manutención, que la maltrataba cuando estaban juntos, se miente a otras personas desprestigiando al ex marido ante sus compañeros de trabajo, se llegan a realizar falsas denuncias de abuso sexual, se pueden causar daños en la vivienda o en las propiedades del ex cónyuge e incluso sustraer documentos importantes.

4. *El patrón comportamental no se debe a ningún trastorno mental aunque no lo excluye.*

El efecto bumerán

«Creo que mi madre no se ha separado de mi padre para poder vengarse de él. Su venganza ha sido intentar que mis hermanos y yo le odiemos.»

Ésta es la afirmación que Olga, de 19 años, comenta en terapia. Cuando ella tenía 12 años, su madre le hizo partícipe de una infidelidad de su padre y del consecuente resentimiento que albergaba. Desde entonces, ha ido creciendo oyendo insultos y descalificaciones constantes hacia su padre. Recuerda que antes de este suceso, ella adoraba a su padre, tenía una relación cálida y afectiva. Sin embargo, posteriormente pasó a rechazarlo; ni siquiera le permitía que se acercara a darle un beso.

Ahora siente que fue utilizada de niña y que su madre la ha manipulado: *«no tenía que haberme contado sus problemas matrimoniales, estoy segura que lo hizo para menoscabar la imagen de mi padre. Quería hacerle daño y sabía que lo que más daño podía hacerle era perder el afecto de sus hijos. Ése ha sido su objetivo durante todos estos años».*

Actualmente la relación con su madre está rota. Experimenta un intenso odio y resentimiento hacia ella por lo que ha hecho. En este caso se ha producido el efecto bumerán. El desprestigio y la desvalorización vertida sobre el padre, aunque consiguió una alianza temporal durante su infancia, se ha vuelto en contra de su madre. Olga, consciente de la manipulación y la utilización de la que ha sido objeto por parte de ella, se ha marchado a vivir con su padre.

La asignación de la guardia y custodia

La custodia: aspectos a valorar

La palabra *«custodia»* define a la vez el derecho y el deber de un padre de mantener al hijo en su hogar familiar, así como el derecho y el deber de ese padre de atender las necesidades de su hijo y prodigarle los cuidados que necesita cada día.

Actualmente, la asignación de la guardia y custodia es un elemento determinante de las futuras relaciones entre padres e hijos. Quien quede con la custodia disfrutará de un mayor contacto e interacción con sus hijos. Así, se denomina como «progenitor continuo» a aquel que tiene asignada la custodia, con quien el niño permanece más tiempo y quien decide día a día sobre las cuestiones cotidianas que van surgiendo. El «progenitor discontinuo» es aquel que pierde la continuidad en la relación con su hijo, ya que su relación se limita generalmente a un régimen de comunicación y visitas asignado. Un aspecto que es fundamental para amortiguar el impacto de la separación es que el padre y la madre reduzcan al mínimo esta discontinuidad. Cuanto más se garantice al menor la presencia continua de sus padres, mejor se adaptará a la nueva situación.

Una vez tomada la decisión de la separación, la pareja tiene que decidir con quién vivirán los niños; algunas parejas no discuten sobre este punto, ya que se da por supuesto que será la madre la que se ocupará de ellos. Hasta hace algún tiempo, la custodia pasaba a la madre, puesto que los roles maternos y paternos estaban claramente diferenciados: el padre trabajaba y el cuidado y la educación de los hijos estaba al cargo de la madre. Sin duda, todo esto ha variado mucho en los últimos años. En general, la mujer está cada vez más incorporada al mundo laboral y el hombre forma parte del cuidado y educación de los hijos progresivamente con más frecuencia.

Al haber día a día más parejas en las que ambos trabajan y donde el reparto de tareas y funciones es más igualitario, en los próximos años el número de padres que soliciten la custodia irá en aumento. Probablemente, esto ocasione un choque en buena parte de la sociedad que sigue pensando que la mujer está mejor capacitada que el hombre para cuidar de los niños. Incluso los mismos hombres se apartan del cuidado de sus hijos cuando son pequeños por este tipo de creencias.

Ante la pregunta *¿quién desempeña mejor el rol parental, las mujeres o los hombres?* existe la profunda convicción de que la madre es invariablemente la figura parental «natural» y que, por consiguiente, tiene prioridad en las decisiones de la custodia. A pesar de la participación mayor del hombre en la crianza de los hijos, aún se mantiene de forma muy extendida la idea popular de que sólo las mujeres están capacitadas para ocuparse de los niños.

Diferentes investigaciones nos demuestran que esta idea se mantiene sin apoyo científico. El estudio de interacciones entre bebés y sus padres refleja que los hombres son capaces de emitir respuestas similares a las de las mujeres, y las diferencias intersexos se deben más a convencionalismos sociales que a la expresión de una predisposición innata en la mujer. *Afirmar que las mujeres son las mejores figuras parentales es una fácil generalización. En la determinación de la custodia, el sexo no debería ser un aspecto excluyente.*

Es difícil evitar los prejuicios culturales existentes en contra del hombre como primer y único cuidador del niño, y tal vez a algunos les parezca algo «peculiar» el deseo de un hombre de asumir esta responsabilidad, pero estas ideas preconcebidas no han de influir en las decisiones sobre el futuro de los menores.

El otro tópico que ha guiado las decisiones sobre la custodia y el régimen de comunicación y visitas se apoya sobre la idea de que la maternidad debe confiarse a una única persona. La exclusividad en la relación con la madre se ha defendido en detrimento del padre, que ha sido excluido y relegado a un segundo plano en las relaciones paternofiliales.

Los niños no están limitados inicialmente a establecer una única relación. A una edad muy temprana, las relaciones múltiples no son anormales, y suceden en la medida en que el niño tiene oportunidad de experimentar interacciones placenteras con otras personas. Una relación especialmente estrecha con la madre no impide que se establezcan otras relaciones, sino que, por el contrario, parece que las favorece, porque los niños que tienen una relación más estrecha con la madre son los que disfrutan de un número mayor de relaciones; no hay por qué temer que la exposición a diferentes personas pueda crear confusión en el niño (Schaffer, 1994).

A una edad temprana (diez meses), el padre es objeto de apego para la mayoría de los bebés. Por tanto, estos datos no fundamentan la teoría de que la primera relación que se establezca sea exclusiva, pues los vínculos múltiples son posibles en la infancia. Esto no quiere decir que sean figuras intercambiables, puesto que el niño suele expresar su preferencia por una de ellas (Cohen, 1974).

Es imposible seguir manteniendo la noción de exclusividad, no hay ninguna necesidad biológica de limitar los vínculos a una sola persona. La mayor parte de los niños, al año, han establecido relaciones con otras figuras: abuelos, cuidadores, educadores, etc. Cualquiera que mantenga una contacto regular y afectivo con un niño está en condiciones de convertirse en objeto de su apego. Respecto al hecho de la preferencia, ésta parece que no depende de la satisfacción de las necesidades físicas ni del tiempo, sino de aspectos sutiles de la relación como: el calor y la sensibilidad del adulto, el temperamento... Así pues, *la necesidad de la exclusividad de la maternidad es sólo un mito* (Schaffer, 1994).

Se acepta socialmente que es mejor que la madre tenga la custodia; sin embargo, algunos autores encuentran que los hijos bajo la custodia del padre experimentan menos problemas que los que están a cargo de la madre (Camara y Resnick, 1990). Entre los factores que explican este resultado se encuentran la mayor disponibilidad económica del padre, mayores habilidades educativas, un mayor contacto con la madre propiciado por el padre y el hecho de que el padre que solicita la custodia suele estar muy implicado en las relaciones con sus hijos y ha participado activamente en su educación. Así pues, cada caso debe analizarse minuciosamente.

A muchos padres les gustaría tener la custodia, pero no la solicitan, porque piensan que es mejor para sus hijos tener una relación estrecha con su madre, les resulta complicado simultanear su actividad laboral con las responsabilidades domésticas o no desean que sus hijos se vean inmersos en una batalla judicial por la custodia (Maccoby, Buchanan, Mnookin y Dornbusch, 1993). En otros muchos casos, es el padre el que no desea mantener la continuidad en la relación con los hijos, no está dispuesto a asumir las cargas y responsabilidades de la custodia o prefiere dar prioridad a su esfera laboral. Ocurre que cuando nuevamente forman una familia, prefieren olvidar el pasado y marcan distancia con los hijos, no quieren tener recuerdos del pasado en el presente.

Desde el punto de vista de la salud psicológica del menor es fundamental que *sea cual fuere el miembro de la pareja parental con el que conviva el niño/a, se garantice que tanto la función paterna como la materna estén aseguradas, porque de ambas funciones precisa el niño/a para un correcto desarrollo emocional.*

Entre los criterios seguidos mayoritariamente por los profesionales en la asignación de la custodia (Keilin y Bloom, 1986) se encuentran:

— El mantenimiento del contexto del niño (colegio, amigos y familiares).
— La salud mental de los progenitores.
— Las habilidades educativas de los padres.
— Que favorezcan las visitas con el otro progenitor.
— Actitud de respeto hacia el ex cónyuge.
— El desarrollo del apego.
— Las preferencias expresadas por el menor.

Los padres pueden hablar de las responsabilidades y obligaciones que conlleva la custodia, considerar todas las alternativas y buscar las soluciones que permitan el máximo contacto entre la parte que tiene la custodia y la que no la tiene. *Los padres tienen que aprender a cooperar como padres divorciados,* entender que surgirán dificultades y comprometerse a resolverlas. *La pregunta clave que los padres deben hacerse cada vez que toman una decisión es: ¿qué es lo mejor para nuestros hijos?*

Ambos padres han de plantearse una alternancia tras la separación que quizá ya existía antes de ésta. Uno se encargaba de llevarlo al colegio y el otro de recogerlo, uno lo llevaba a clases particulares, y al llegar a casa, el otro se encargaba de supervisarle en sus deberes. En ocasiones, la separación rompe esta alternancia y uno de los progenitores monopoliza la relación con el hijo; es entonces cuando se excluye al otro y el niño ve alteradas de un modo significativo sus rutinas cotidianas. Algunas parejas llegan a situaciones en las que a pesar de que uno de ellos ha realizado mayoritariamente estas funciones, al concederle la custodia al otro, el hijo pierde la relación diaria y continua con su padre. En la lucha por el poder, se prefiere que sea una cuidadora la que realice estas funciones antes que dejar al padre seguir con estas responsabilidades.

No obstante, aquellas parejas en las que no se ha dado este reparto de funciones, no deben utilizar la ausencia de uno de los cónyuges como argumento para excluirlo de la alternancia que requiere la separación. *En estos momentos es precisa la máxima implicación por parte del padre más ausente y la colaboración del otro.* Hacer presente al ex cónyuge e implicarlo redundará en beneficio de los hijos.

La «lucha» por la custodia

Los padres han de plantearse ¿quién puede continuar con las responsabilidades educativas asumidas durante el matrimonio? *El objetivo es alterar mínimamente la vida cotidiana del niño y para ello hay que valorar: ¿quién tiene mayor disponibilidad para atenderlo? y ¿quién puede garantizarle mayor continuidad en su entorno y en sus relaciones?*

Si los padres han de reflexionar sobre este nuevo rol como padres separados, *los profesionales deben alejarse de la idea de plantear la validez del padre/madre en términos de «apto» o «no apto». Es también fundamental que no se transmita esta idea en la evaluación psicológica ni que desde el ámbito jurídico se apoyen las solicitudes de custodia sobre este argumento. Es evidente que habrá casos en los que uno de los progenitores presente circunstancias que le invaliden, pero estos casos representan la minoría.*

Está claro que es la actitud de muchos profesionales la que transmite a los padres que han de demostrar su competencia y propician que el litigio por la custodia se convierta en el pistoletazo de salida de una carrera repleta de rivalidad y competitividad. A partir de ese momento, cualquier situación de la vida cotidiana se convierte en una buena ocasión para demostrar que se es mejor que el otro. Se compite por todo, ¿para qué?, ¿para conseguir posicionar a los hijos?, ¿para que los hijos prefieran, elijan o tomen partido por uno o por otro?

No se trata de plantear la custodia como una cuestión en la que hay que demostrar ser «más bueno» que el otro padre, no se trata de establecer una competición en la que abundan las recriminaciones por ambas partes de las faltas y los errores. No hay que «demostrar» las incapacidades del otro progenitor para validarse a uno mismo.

La consideración de otras variables en las que se valora la adaptación de los hijos independientemente de la competencia paterna debe tenerse en cuenta. Así, J. W. Santrock y R. A. Warshak (1979) informan que *los niños que viven con el padre del mismo sexo (chicos en hogares con custodia paterna y chicas en hogares con custodia materna) están mejor adaptados* que los niños y niñas que viven con el padre de sexo diferente. Así, otros *criterios como el de idoneidad y adaptabilidad deben utilizarse al valorar las relaciones entre padres e hijos.*

La asignación de la custodia tiene un «significado social»; aquel al que se le otorga obtiene la validación social de su competencia paterna. Hoy en día, cuando ambos padres litigan por la custodia y ésta la obtiene el hombre, buena parte de la sociedad piensa de la madre: *«ya tiene que ser muy mala madre para que se la hayan quitado»*. Funcionan muchos estereotipos culturales, se espera que ésta se asigne a la mujer, y cuando el hombre la solicita, la reacción no se hace esperar: *«quiere quitarle los hijos a su madre»*. Como vemos, es mucho lo que se pone en juego, y la custodia, hoy por hoy, significa algo más que una reorganización de las relaciones paternofiliales.

La decisión de quién ostenta la custodia debe ser asumida exclusivamente por los adultos, y si la pareja se muestra incapaz de llegar a un acuerdo, debería solicitar el asesoramiento del psicólogo. *Mientras el niño es pequeño, lo ideal es que los padres comuniquen esta decisión conjuntamente a su hijo;* esto es particularmente importante cuando los niños se ponen de parte de uno de los padres. *No debe abrirse la po-*

sibilidad al niño de que la decisión puede depender de él, pues al desplazar la toma de la decisión al niño se ocasiona un conflicto de lealtad; salvo excepciones, *en la mayor parte de los menores, la preferencia mostrada por los hijos suele responder a alineamientos de los hijos con sus padres* que son muy dañinos desde el punto de vista psicológico.

«Cristóbal tiene cinco años, y ha venido con su padre a la consulta. El psicólogo le pregunta si sabe a qué viene. Cristóbal responde en un tono agitado: "quiero que le digas al juez que quiero vivir con mi papá". El padre comenta al psicólogo que el niño le dice que prefiere vivir con él, que cuando se despiden los domingos por la tarde le pregunta con ansiedad cuándo volverá, las despedidas al regresar a casa con su madre se hacen muy largas, llegan a estar hasta una hora en el coche dándose besos y abrazos ante la puerta de la casa donde vive su madre.»

Es evidente que Cristóbal ha captado las enormes dificultades que experimenta su padre al separarse de él, y también es evidente que las manifestaciones del niño agradan inconscientemente a su padre, que se excusa en la verbalización del niño para solicitar un cambio de custodia. En este caso, la preferencia del nino se apoya en una alianza establecida con el padre. ¿Qué validez hay que dar a las palabras de este niño?

A la pregunta ¿sabes para qué estás aquí?, el niño contesta en alianza con el padre, su respuesta implica la manipulación parental en la que se encuentra inmerso; si su respuesta hubiera sido «no sé», entonces es más probable que el niño no haya sido aleccionado. El padre fomenta y alimenta este tipo de comentarios porque sirven a sus intereses personales, quizá ajeno al daño que ocasiona en su hijo.

Muchos padres no saben qué contestar cuando sus hijos les preguntan por qué tienen que vivir con el «otro» progenitor. Atrapados por su propio sentimiento de desagrado, dudan, no contestan, hacen un largo silencio..., y entonces, el niño se da cuenta de que el adulto no está conforme con esta decisión. Aunque se esté descontento con la asignación de la custodia, los padres deben contestar que así lo han decidido ellos y que es la mejor opción para él, dando esta respuesta con rotundidad. Si previamente se le dice al niño: «papá y mamá hemos decidido que te quedas en casa con papá o mamá», se evitan situaciones en las que el niño intenta manipular afir-

mando preferir vivir con uno de ellos como medida de presión hacia un progenitor.

Hay muchas situaciones en la vida cotidiana en las que observamos los intentos manipulativos de los niños. En ocasiones, el niño está comiendo y si se ha enfadado porque el padre no le ha dado algo, cuando el padre va a darle la siguiente cucharada de yogur, el niño dice: *«no, tú no, que me lo dé mamá, que tú eres malo»*. En otros momentos puede suceder a la inversa: la madre va a vestir al niño, el niño se resiste porque quiere coger un juguete y la madre le dice que lo coja después; en este momento el niño se enfada y dice: *«no, tú no, a ti no te quiero, que me vista papá»*.

En la mayoría de los casos, los rechazos y preferencias manifestados por el niño deben interpretarse como reacciones normales de éste para controlar su entorno. Sería un error deducir de los ejemplos anteriores que si el niño rechaza a su padre o a su madre, es que éstos no son adecuados como figuras parentales. Del mismo modo, el rechazo expresado por el niño cuando sus padres se encuentran en un proceso de separación no debe entenderse de este modo, sino que debe analizarse a qué motivaciones responde.

«Ana tiene la custodia de su hijo Alfredo de seis años. Últimamente éste tiene problemas de comportamiento, no obedece, desafía constantemente y es agresivo verbalmente con su madre; cuando ésta intenta recuperar su autoridad y castigarle, Alfredo le amenaza con que se va a ir a vivir con su padre porque es una mala madre y le maltrata. El padre, por otra parte, "no ve" los problemas que tiene Ana con su hijo, se justifica diciendo que como él no tiene estas dificultades con Alfredo es un problema de ella. Las verbalizaciones del hijo le satisfacen, porque de alguna manera, como ocurre en la mayor parte de las separaciones, los adultos tienen una enorme necesidad de cuestionar la valía del otro, y éste es el mejor argumento para invalidar a la figura materna. Por eso ha tomado la decisión de no implicarse en solucionar los problemas que tiene su hijo y repite una y otra vez que es un problema de ella.»

Esta situación se repite con excesiva frecuencia en las consultas de psicología, donde uno de los progenitores acude sin el apoyo del otro para solucionar problemas en la relación con sus hijos. Este distanciamiento y falta de implicación de uno de los padres se interpreta por el niño como una actitud de permisividad hacia su conducta. *«No debe ser tan grave lo que hago porque mi padre me lo permite»*, decía Alfredo en la consulta. La tolerancia del padre evidentemente mantiene sus comportamientos manipulativos.

En situaciones como ésta, en las que el niño tiene problemas de comportamiento con uno solo de los progenitores, el otro progenitor argumenta: *«ella siempre estuvo muy desequilibrada, es incapaz de educar a sus hijos, ni siquiera ellos quieren estar con ella»*. Naturalmente este argumento se utiliza para cuestionar las habilidades educativas, y si es posible, para solicitar un cambio en la asignación de la custodia.

Pero un análisis con mayor profundidad y el estudio psicológico realizado a Alfredo revelan que éste, identificado con la figura paterna, al igual que imita sus gestos, aficiones y gustos, también está imitando el rechazo y la desvalorización hacia Ana, su madre. Cuando Alfredo amenaza con irse a vivir con su padre, lo hace en situaciones en las que intenta salirse con la suya, con algún capricho o ante alguna demanda a la que su madre se niega. Sabe que puede chantajearla con este argumento porque tendrá el apoyo del padre, y a éste le sirve como la prueba de lo necesario que sería un cambio familiar. De este modo, la actitud del padre mantiene las conductas caprichosas, exigentes y manipuladoras que tiene el niño y que precisan para su control el máximo acuerdo parental.

Ante los problemas de comportamiento el padre ha de reforzar la autoridad con comentarios como *«si tu madre te ha castigado, me parece muy bien, sus razones habrá tenido»* o *«no te puedo levantar un castigo que te haya puesto tu madre, porque estoy de acuerdo con lo que ha decidido»*. Pero si colabora con su ex mujer y le ayuda a controlar el comportamiento de su hijo, entonces se queda sin argumentos que justifiquen su posición: *«yo soy el bueno y ella es la mala»*. Por eso, cuando Alfredo le comenta a su padre el deseo de irse a vivir con él, éste calla, hace un silencio y contesta: *«será si tu madre nos deja»*. El padre de Alfredo experimenta en su interior un sentimiento de satisfacción, de batalla ganada, *«me prefiere a mí»*, *«lo he conseguido»*.

Convencido de que el problema lo origina su ex mujer, no se plantea cuál es su parte de responsabilidad en la conducta de su hijo. Y esto es algo que todo padre separado tiene que plantearse: ¿qué puedo hacer yo? Si el progenitor se excusa con frases como:

«ella siempre ha sido así», «nadie le va a cambiar», «ella es la única culpable», inevitablemente se mantendrán los problemas en el hijo.

En la consulta, el padre de Alfredo, inconsciente a su modo de actuar, nos pregunta qué puede hacer él. *¿Qué voy a contestarle si él mismo me dice que no quiere vivir con su madre? Sin embargo, la respuesta es muy clara: si cuando su hijo le plantea que quiere venir a vivir con usted, usted le comenta que esto no es posible, porque como padres han decidido que la mejor opción es que viva con su madre, probablemente el niño vea cerrada una puerta para seguir utilizando este argumento. De este modo, el niño capta que la decisión no depende de él, que él no tiene ese poder y ya no tiene el mismo peso seguir utilizando un argumento que no es apoyado por una de las partes.* Además, *«usted tiene que poner límites al comportamiento de su hijo, es usted quien le da permiso con su actitud de tolerancia. Su hijo está desarrollando un trastorno de conducta, tiene que ayudar a su ex mujer a recuperar la autoridad y el control del comportamiento de su hijo y ha de ayudar a Alfredo a respetar y a interiorizar una imagen positiva de su madre».*

Si cuando el niño quiere salirse con la suya le dejamos pensar que puede decidir con quién vivirá, naturalmente utilizará este argumento como una forma de presión. Del mismo modo que no permitimos que un niño se vaya a vivir a casa de sus abuelos o tíos porque le hemos castigado y nos diga que con ellos está mejor, no debemos permitirlo en estas situaciones.

Existen diferencias en las dificultades que encuentran padres y madres en la educación de los hijos. Algunas investigaciones ponen de manifiesto las dificultades de las madres en la aplicación de la disciplina, manteniendo estilos educativos que combinan la falta de atención con reacciones punitivas y severas (Hetherington y cols., 1998). Se produce entonces un círculo vicioso, ya que ante la conducta materna, el niño pequeño reacciona mostrándose agresivo, desobediente y dependiente. Este comportamiento resulta aversivo para las madres que se sienten cada vez más deprimidas, incompetentes y coléricas, lo que deteriora las prácticas de crianza y lleva a una escalada de los problemas de conducta. Este ciclo coercitivo en las relaciones maternofiliales resulta especialmente intenso en el caso de los varones, no sólo por la mayor tendencia agresiva de éstos y por el deterioro de las prácticas de crianza, sino por la ausencia del padre, que suele ser el que asume las funciones disciplinarias. Por el contrario, el padre tiene más problemas de comunicación, confianza con los hijos y de supervisión de sus actividades y, en general, tiene mayores dificultades con las hijas en la etapa adolescente (Cantón, 2000).

Cuando el niño expresa sus preferencias ante la custodia

La Carta Europea de los Derechos del Niño recoge en su artículo 8.14 *el derecho de éste a ser oído, siempre que ello no implique riesgo o perjuicio alguno para él, desde el momento en que su madurez y edad lo permitan,* en todas las decisiones que le afecten.

Carta Europea de los Derechos del Niño

8.14. Toda decisión familiar, administrativa o judicial, en lo que se refiere al niño, deberá tener por objeto prioritario la defensa y salvaguardia de sus intereses. A tales efectos, y siempre que ello no implique riesgo o perjuicio alguno para el niño, éste deberá ser oído desde el momento en que su madurez y edad lo permitan en todas las decisiones que le afecten. Con objeto de ayudar a tomar una decisión a las personas competentes, el niño deberá ser oído, especialmente en todos aquellos procedimientos y decisiones que impliquen la modificación del ejercicio de la patria potestad, la determinación de la guardia y custodia, la designación de su tutor legal, su entrega en adopción o su eventual colocación en una institución familiar, educativa o con fines de reinserción social. A este respecto, en la totalidad de los procedimientos deberá ser obligatoriamente parte el ministerio fiscal o su equivalente, cuya función primordial será la salvaguardia de los derechos e intereses del niño.

Asimismo, el Código Civil recoge, en su artículo 92, que *«las medidas judiciales sobre el cuidado y educación de los hijos serán adoptadas en beneficio de ellos, tras oírles si tuvieran juicio y siempre a los mayores de doce años».*

Código Civil. Artículo 92

La separación, la nulidad y el divorcio no exime a los padres de sus obligaciones para con sus hijos.

Las medidas judiciales sobre el cuidado y educación de los hijos serán adoptadas en beneficio de ellos, tras oírles si tuvieran juicio y siempre a los mayores de doce años.

En la sentencia se acordará privación de la patria potestad cuando en el proceso se revele causa para ello.

Podrá también acordarse cuando así convenga a los hijos que la patria potestad sea ejercida total o parcialmente por uno de los cónyuges o que el cuidado de ellos corresponda a uno u otro procurando no separar a los hermanos.

El juez, de oficio o a petición de los interesados, podrá recabar el dictamen de especialistas.

Son los padres los que están en mejor disposición de determinar lo mejor para el niño; pero la realidad nos presenta a padres preocupados y guiados por sus conflictos e incapaces de llegar a acuerdos sobre con quién es mejor que viva el niño. Es entonces cuando se judicializa el conflicto y se introduce al niño en el litigio; para ello, a los padres les interesa que el niño exprese alguna preferencia. El espíritu de la ley, que recoge atender las preferencias y opiniones del menor para determinar mejor la asignación de la custodia, es tergiversado por padres y abogados, que presionan al niño de una manera más o menos sutil.

Por eso, y como hemos comentado anteriormente, ningún menor de doce años debería verse en esta situación, ni mucho menos declarando ante el juez. *Siempre que los padres puedan evitarlo será mejor que asuman ellos esta responsabilidad en vez de traspasarla al hijo o a la justicia.*

Los niños pueden expresar una preferencia que aparentemente se base simplemente en eso, en una preferencia. Pero precisamente si la pareja es conflictiva, sería aconsejable que el psicólogo estudiase y valorase en qué se apoya y cómo se ha ido construyendo esa preferencia. Ya hemos comentado en otros apartados cómo los niños pueden estar alineados con uno de los progenitores o cómo un sistema de alianzas puede condicionar la elección de un progenitor y no de otro. *La asignación de la custodia nunca debe basarse en la expresión de una preferencia sin un análisis psicológico de la misma.*

«Loreto, de siete años, acude con su padre a la consulta de un psicólogo. Su abogado le ha comentado que para apoyar la solicitud de custodia solicite un informe en el que se recoja la preferencia manifestada por la menor de vivir con su padre. Su padre le ha explicado que él también desea que viva con él, pero que tienen que convencer al psicólogo y al juez. El padre de Loreto explica que Loreto mantiene una relación tirante con su madre, discuten con mucha frecuencia debido a que su ex mujer tiene un cáracter muy fuerte y nunca se han llevado bien. Los domingos, cuando ha de volver a casa de su madre, Loreto dice que no quiere regresar. En la entrevista con Loreto, a los diez minutos de conocerla, el psicólogo pregunta a ésta: ¿con quién prefieres vivir? y Loreto contesta que con su padre. El psicólogo elabora un informe en el que valora la conveniencia de la asignación de la custodia al padre basándose en la preferencia de la menor y en el rechazo a la convivencia con la madre.»

Cuando la preferencia del menor es objeto de estudio, no debe convertirse en eje central de la exploración sino inferida del conjunto de las apreciaciones infantiles. Conforme a la Psicología del Testimonio, debe considerarse toda la información contextual, en la que se ha de valorar cualquier testimonio para no reducir el estudio a un interrogatorio fácilmente entrenable (Ramírez González, 1992).

La actuación profesional en este caso es muy cuestionable. Los principales errores metodológicos y éticos que encontramos son:

— Preguntar directamente a la niña con quién desea vivir.
— Trasladarle la decisión de la convivencia.
— No indagar en las causas del rechazo a la madre.
— Pasar por alto la posibilidad de una posible manipulación paterna.
— Excluir a la madre en el estudio psicológico.

La entrada en la adolescencia fija un límite importante a la consideración de las opiniones del menor. A esta edad, ya es conveniente que el menor pueda explicitar sus preferencias, siempre y cuando padres y familiares le transmitan que puede expresar su opinión libremente sin sentir que decepciona a sus padres. Sin embargo, la experiencia nos demuestra que *en muchas ocasiones el adolescente elige vivir con el progenitor víctima,* aquel que siente que necesita una mayor protección, en cuyo caso la decisión está más guiada por las necesidades del adulto que por las del propio hijo. Lo más conveniente es un asesoramiento psicológico que permita valorar las razones que motivan la elección de un progenitor y no de otro.

«Después de la separación de sus padres, Nuria, de 13 años, ve a su padre muy abatido, no sabe ocuparse de la casa, nunca ha hecho nada en casa porque su madre se ha encargado siempre de todo. Su padre le ha dicho: "ahora tú tienes que ser mi mujercita". Ella preferiría irse con su madre, tiene una relación muy buena, comparten muchas cosas, pero le da pena dejar a su padre solo, así que finalmente decide quedarse a vivir con él.»

Incluso la decisión del menor puede ser adecuada, válida y la mejor opción; sin embargo, si está guiada por una razón que puede dañar psicológicamente al menor, debe abordarse. Implicar a los padres en el abordaje terapéutico es fundamental, ya que pueden reestructurar los mensajes que envían a sus hijos. Sería conveniente que el padre de Nuria supiese que al decir a su hija: *«ahora tú tienes que ser mi mujercita»* está transmitiéndole que la necesita en un rol de adulta, un rol que como hija no le beneficia. Limita la vida de Nuria al hacerse dependiente de ella a una edad en la que los hijos necesitan cimentar su independencia y construir su propia vida.

El miedo a perder la custodia

Las actitudes de muchos padres que una vez asignada la custodia recurren una y otra vez la decisión judicial, tienen una influencia muy negativa sobre la estabilidad de sus hijos. En los casos en los que no se tiene intención de recurrir legalmente, pero se utiliza este argumento como una medida de presión psicológica hacia el ex, el daño a los hijos a veces es irreparable. Estas actitudes ejemplifican comportamientos inmaduros.

El miedo a perder la custodia puede condicionar una actitud excesivamente tolerante con los hijos que les permita comportamientos que se salen de los límites.

«María Jesús fue denunciada a los servicios sociales por su ex marido porque en ocasiones dejaba solos a sus hijos para realizar compras. María y Pedro tienen 13 y 10 años respectivamente. Desde entonces, no sale a ningún sitio sin ellos, se los lleva a la peluquería, a las compras, a casa de sus amigas..., no los deja nunca solos, teme que se lo digan a su padre y puedan quitarle la custodia. Los hijos le recriminan que desee salir, le dicen: ¿para qué quieres salir si nos tienes a nosotros? La relación con ellos es muy difícil porque María Jesús se siente chantajeada, siente que son una prolongación del control de su ex marido y no alcanza a comprender la actitud de ellos. El comportamiento de sus hijos le carga de agresividad que dirige contra ellos y cada vez la relación se hace más tensa. No le permiten que lleve amigos a casa, se muestran maleducados ante ellos y le boicotean las reuniones; su hija le recrimina: "no eres como las demás madres, ¿por qué no te quedas en casa?".»

Sus hijos saben que pueden utilizar este argumento porque se sienten apoyados por su padre, y de esta manera condicionan a su madre y así se enfrentan a la enorme inseguridad afectiva que sienten. En entrevistas con ellos expresan el temor a que su madre pueda dejar de quererlos, temen que si su madre sale pueda encontrar una nueva pareja. Su madre desconoce este miedo, para ella sólo existe el chantaje y la manipulación, siente que sus hijos son sus «verdugos».

María Jesús se siente insegura como madre, duda sobre su derecho a rehacer su vida y sus hijos han invadido un territorio que no les corresponde: el mundo de los adultos. Pero es evidente que alguien les ha dado ese permiso y en este caso ha sido su padre. Las consecuencias de esta situación son muy graves. Estos adolescentes están creciendo sin límites a sus actitudes chantajistas y manipuladoras; por tanto, cuando sean adultos las utilizarán en sus relaciones y tienen muchas probabilidades de tener relaciones conflictivas y problemáticas. En general, lo que se aprende en la infancia tiende a repetirse cuando se es adulto, ya que queda como un patrón comportamental fuertemente instaurado.

«Federico tiene 28 años, está casado desde hace tres con María y su relación de pareja es muy conflictiva; han hablado en varias ocasiones de separarse. María se queja de comportamientos celosos por parte de él: no le gusta que salga con sus amigas, cada vez que sale de cena con compañeros del trabajo tienen bronca, en los últimos años el trabajo de ella siempre es motivo de discusión. Federico le ha pedido que deje el trabajo porque se siente desatendido e interpreta que si no lo hace es porque él no es suficientemente importante para ella.»

Durante el transcurso de diversas entrevistas con el psicólogo, Federico descubre que estos comportamientos no se inician en su matrimonio. Sus padres se separaron cuando él tenía 11 años. Fue una separación muy conflictiva en la que oyó decir que la culpable había sido su madre por querer separarse. En una ocasión, su padre le dijo: *«si tú fueras importante para tu madre, no se habría ido»*. Federico creció creyendo lo que su padre le había dicho, recuerda haber sentido que no era importante para ella. Apoyado por estos comentarios desarrolló actitudes y comportamientos hostiles hacia su madre, le hacía la vida imposible, le controlaba las llamadas telefónicas, si sus amigos llamaban, él no pasaba los recados, quería evitar a toda costa que su madre tuviese pareja porque tenía miedo al abandono afectivo. Al describir este relato se dio cuenta de que sus comportamientos actuales eran muy similares a los de su infancia.

La evaluación de la competencia de los padres para ejercer la guardia y custodia es enormemente compleja. Al valorar los lazos emocionales existentes entre los miembros familiares hay que tener en cuenta que ésta se realiza en una situación de crisis importante. El psicólogo tiene que interrogarse acerca de la viabilidad de inferir sobre lo observado la verdadera cualidad de los lazos emocionales existentes y su dependencia de contingencias ambientales e intrasubjetivas por efecto del contexto de crisis familiar (Rodríguez y Ávila, 1999).

La mayor parte de autores entienden que son funciones paternas: proporcionar cuidados físicos y materiales, enseñar habilidades, orientar, corregir y servir de guía en todas las fases evolutivas por las que el niño pasa. Nos gustaría añadir que es también una función parental el cubrir las necesidades emocionales y psicológicas del niño. Función que adquiere una especial significación cuando los padres se separan. Parece que en medio del conflicto los padres están muy interesados en autopresentarse como adecuados y válidos y a veces se les olvida atender las necesidades psicológicas de sus hijos en tal situación. La separación es un indicador que requiere la evaluación psicológica del menor y el asesoramiento a sus padres.

Nos apoyamos en nuestra experiencia para afirmar que, *con mucha frecuencia, cuando es citado en consulta el padre que no ha solicitado el asesoramiento del psicólogo, éste manifiesta su resistencia a participar en la evaluación psicológica de su hijo, y cuando accede, muestra una actitud pasiva.* Nos parece paradójico que un padre que cuestiona la idoneidad del ex cónyuge no se implique en un proceso, como es la evaluación y el asesoramiento ante esta situación de riesgo. *Esta reacción deja claro que hay otros intereses que están por encima de los intereses del menor.*

Es responsabilidad del padre no sólo atender las necesidades físicas de su hijo, sino las psicosociales que se derivan de la situación en que se halla inmerso. Pero constatamos que cuando orientamos sobre la necesidad de que ambos padres colaboren para resolver los conflictos detectados en el estudio psicológico, entonces el progenitor que no solicitó el estudio, afirma que él no lo considera necesario. Para complicar aún más la situación, inicia un peregrinaje en busca de otros psicólogos que se posicionen más en el campo legal que en el psicológico, buscan un informe que apoye sus demandas legales y el niño pasa nuevamente por un proceso de evaluación; de este modo se produce la segunda victimización del niño.

Este aspecto debería incluirse como un criterio más a la hora de dilucidar la idoneidad de los progenitores y *deberían articularse medidas para que en los casos de separación y divorcio cuando un especialista considera necesaria una intervención psicológica, la justicia garantizase al menor la implicación de sus progenitores en dicho tratamiento.*

Grisso (1986) alerta sobre aquellas situaciones en las que los padres pueden «aparecer con una pseudoincapacidad»:

— «Acontecimientos o situaciones» en los que se ven inmersos y que pueden derivarse del estrés situacional de la separación y que alteren su «imagen».
— «Comportamientos alterados» debidos al estrés o situaciones que parecen reflejar su «falta de recursos».

— Mostrar sentimientos ambivalentes respecto a la custodia, sentimientos que son normales en estas circunstancias.
— La falta de información puede derivar en rendimientos bajos en las exploraciones, así como un déficit en las habilidades de comunicación influye en la autopresentación.
— El efecto de alteraciones o déficit mental, trastornos de la personalidad o de conducta, que alteren, limiten o distorsionen la capacidad como padres pero que no tienen por qué anularla.

Con mucha frecuencia se presenta al ex cónyuge como alguien incapacitado debido a sus alteraciones anímicas; la depresión o la ansiedad se intentan manejar como factores determinantes de su incapacidad. Compartimos aquí la opinión con otros profesionales (Rodríguez y Ávila, 1999) de que *una alteración mental no debe considerarse como un factor determinante para excluir al progenitor de la custodia.* Es evidente que excluimos aquellas situaciones en las que la gravedad de la enfermedad incapacita a la persona para ocuparse de sí misma y de otros. Por tanto, en la mayor parte de los casos, debe realizarse un estudio exhaustivo de las condiciones y circunstancias del progenitor.

«Nunca se ha ocupado de él y ahora pide la custodia»

Las razones por las que un padre puede haberse «alejado» de sus funciones educativas pueden ser diversas. Evidentemente, cada caso es distinto, las explicaciones genéricas no sirven, pero en el contexto de la separación oímos con mucha frecuencia: *«ahora se acuerda de que tiene hijos, si la que se ha encargado de ellos he sido siempre yo»,* y sobre esta idea pivota el litigio que posteriormente se establece en torno a la custodia.

Es muy frecuente que las funciones del cuidado del bebé durante los primeros años sean asumidas mayoritariamente por la madre. En principio, este reparto de funciones es asumido por las parejas variando el porcentaje de participación del padre según las circunstancias. Lo que en un principio es una situación más o menos aceptada por la pareja, se convierte en una situación con connotaciones muy determinadas después de la separación. El vínculo matrimonial mantiene silenciosos pactos inconscientes, que al romperse irrumpen con una significación conflictiva en el nivel consciente.

En algunas familias el reparto de roles propicia que el padre se apoye en la madre en el desempeño de las tareas educativas. Este reparto de roles fomenta la dependencia del padre al tiempo que su inseguridad. Cuántas madres les dicen a sus maridos: *«tú no cojas al niño, ya lo haré yo, que eres un manazas»*. De este modo, el padre se distancia, pasa a un segundo plano en las decisiones cotidianas y deja que sea la madre la que se implique en la mayor parte de las cuestiones. Pero el motivo de este distanciamiento puede ser un sentimiento de inseguridad en su valía y no el desinterés por sus hijos.

Se puede construir de este modo un sistema de alianza entre madre-hijo/a en el que poco a poco la madre ejerce un monopolio afectivo que la hace aparecer más cercana a sus hijos. En esta situación el padre está en desventaja, ya que si se produce la separación y las relaciones han estado focalizadas en la madre, éstos se alinearán con ella.

Naturalmente esta alineación se produce porque el niño capta una imagen paterna pasiva, inhibida y distante afectivamente, al contrario de la percepción que elabora de su madre. Los responsables de esta situación son ambos progenitores, el padre por dejarse apartar y no participar activamente y la madre por relegar o distanciar al padre.

Las razones por las que en las familias se mantienen sistemas de alianzas entre padres-hijos pueden ser varias. Una alianza de este tipo puede aumentar la autoestima del progenitor, el deseo de ser único y de ser «elegido» satisface enormemente el ego; en otras ocasiones, la alianza con uno de los hijos sirve de tapadera para una relación de pareja insatisfactoria, y en otros casos, la alianza se establece porque el padre muestra un desinterés evidente hacia el hijo.

El hecho de que el padre no se haya ocupado del hijo es utilizado con frecuencia como argumento justificativo de su falta de implicación. Una vez que se establece esta conclusión, el siguiente paso es limitar el régimen de comunicación y visitas, y en ocasiones algunas madres concluyen y dicen a sus hijos: *«vuestro padre nunca os ha querido, nunca se ha preocupado de vosotros mientras erais pequeños»*.

No sería honesto que si el cuidado del niño ha sido asumido por la madre y nunca planteó ningún problema, a posteriori se utilice precisamente como argumento contra el padre. Situaciones como éstas deben analizarse detenidamente porque pueden provocar un sesgo en la asignación de la custodia.

Además, el hecho de que esto haya sido así no significa que el padre no quiera a su hijo. Un padre puede experimentar un intenso sentimiento de afecto hacia su hijo aunque no le haya cambiado pañales, dado biberones, llevado al pediatra... Son muchos los hombres que se ocupan de sus hijos cuando éstos se hacen un poco más mayores, cuando empiezan a andar o a hablar, porque les resulta más fácil interaccionar con ellos. Por tanto, cuando un padre solicita el régimen de comunicación y visitas, su falta de implicación no debe ser excusa para privarlo de la relación con sus hijos. Debemos comprender que por razones culturales, de rol, o profesionales, las personas pueden comportarse de un modo determinado y cambiar su comportamiento bajo otras circunstancias. Es más, el otro progenitor debería alegrarse de que haya un cambio de actitud después de la separación y se muestre interés por el hijo. El problema es que esa muestra de interés es devaluada y criticada: *«ahora, se acuerda de que tiene un hijo». Nunca es tarde para reestablecer las relaciones paternofiliales.*

También sucede que hay hombres que necesitan tiempo para hacerse padres, sucede que a veces el bebé «no les dice nada». Pero cuando su hijo le dice papá, cuando le sonríe, cuando lo busca, es cuando se despiertan y se desarrollan sus sentimientos de padre. Esto sucede también con las madres; aunque este tipo de sentimientos se silencian por temor a la desaprobación social. *Una madre y un padre se hacen en la relación día a día con su bebé.*

Teniendo en cuenta estos argumentos se entiende la importancia de no romper la continuidad en la relación con ninguno de sus progenitores. *Ambas figuras son igualmente importantes para el bebé; si una de ellas está ausente, existe el riesgo de alterar el desarrollo de la función paterna o materna.*

«Miguel, separado desde hace un año, comenta sus sentimientos como padre; dice que la relación con su hija le genera sentimientos que no sabe cómo interpretar. Ana, su hija, tiene 2 años. Él se siente incapaz en mu-

chas ocasiones de cuidarla, teme equivocarse, cuando está con ella no sabe a qué jugar, no sabe peinarla, pero lo que más ansiedad le genera es que la niña en ocasiones prefiere quedarse con su madre. Por eso se plantea si no es mejor dejar de verla hasta que sea un poco más mayor.»

Bajo ningún concepto sería conveniente posponer la comunicación y las visitas con su hija hasta que fuese más mayor. Son muchos los padres que desisten y no insisten cuando sus hijos son pequeños en mantener un régimen de comunicación y visitas por estos motivos; las dificultades a veces son mayores cuando el niño es de sexo contrario al del progenitor.

Como hemos dicho antes, la función de padre y la de hijo se construye a través de la relación; por eso, si se interrumpe, se hace más difícil y se corre el riesgo de que se produzca un distanciamiento emocional entre ambos. Sería un grave error pasar por alto estas consideraciones y concluir, ante un caso así, que el padre no tiene interés en la relación con el hijo y por eso no insiste en verlo.

Parece que muchos padres redescubren la paternidad después de la separación. La relación con los hijos adquiere un nuevo significado y surge el deseo de intensificar las relaciones con ellos. Al analizar la discontinuidad longitudinal en la relación de los padres y sus hijos *se constata que son precisamente los «padres menos implicados» durante la convivencia marital los que más incrementan tras la ruptura sus relaciones con los hijos.*

Tipos de custodia

Custodia partida

Con varios hijos ¿se confían todos los hijos al mismo progenitor? Esto es lo que se denomina custodia partida, que consiste en que uno o más hijos se quedan con un progenitor y el resto con el otro. Cuando los niños son pequeños es conveniente no separarlos, la separación puede exacerbar los celos y la percepción de abandono; conforme van creciendo, hay que atender las peculiaridades de cada caso dependiendo del sexo y las relaciones establecidas con los padres.

Custodia exclusiva

También denominada custodia monoparental, implica que el niño reside con uno de los padres, aunque la patria potestad suele ser compartida. En España, el 92 por 100 de las mujeres tienen asignadas la guardia y custodia de sus hijos (Ruiz Becerril, 1999). En los últimos años el número de familias monoparentales a cargo del padre ha aumentado; sobre todo a partir de los años ochenta, se calcula que un 7 por 100 de custodias son concedidas al padre. De éstas, un 37 por 100 de los hombres la tienen por mutuo acuerdo y en un 26 por 100 de los casos porque lo solicitó el hijo (Greif, 1985).

Custodia conjunta

El problema de la asignación de la custodia surge cuando ambos progenitores la solicitan y las dos figuras parentales son igualmente válidas. Es una opción adecuada para aquellos padres que quieren colaborar en sus funciones paternas y que quieren un reparto igualitario de funciones y responsabilidades.

Definida como la combinación de la custodia legal y residencial, algunas parejas comparten la custodia legal, aunque el menor convive principalmente con uno de sus padres. En la mayor parte de las custodias conjuntas los niños residen principalmente con su madre (75 por 100) y con los padres en un 10 por 100 de los casos. Realmente sólo en un 15 por 100 de las custodias conjuntas se convive un tiempo igualitario con ambos progenitores (Cantón et al., 2000).

Sólo determinadas parejas son candidatas óptimas para desarrollar este modelo de custodia; en estas familias las relaciones fluyen de manera libre y flexible sin estar sujetas a dictámenes rígidos que se alejan de las necesidades de sus miembros. Para asignar este tipo de custodia *los padres han de cumplir una serie de requisitos:*

— Mantienen después de la separación una buena relación.
— Tienen una actitud de respeto y colaboración mutua.
— No hay relación de competitividad.

— Ambos entienden que es fundamental que el hijo no pierda el contacto con ellos.
— Llegan a acuerdos en las cuestiones educativas manteniendo los mismos criterios sin mostrar discrepancias.

Existen una serie de *factores que predicen el éxito* de este tipo de custodia (Coller, 1988):

— Percepción del otro progenitor como alguien competente e importante para el niño.
— La proximidad geográfica.
— El respeto a los acuerdos adoptados sobre manutención.
— Bajos niveles de relitigio.
— Incremento de los contactos del niño con el progenitor con el que tiene menos relación.
— Conformidad de los niños a este tipo de acuerdo.

Por el contrario, este mismo autor cita entre los *factores que la desaconsejan:*

— Incapacidad de los padres de ocuparse de los hijos.
— Consumo de drogas.
— Relaciones hostiles entre la pareja.
— Actitudes manipuladoras de los padres hacia los hijos.
— Rechazo de uno de los progenitores a que se adopte este tipo de custodia.
— Que haya sido dictaminado por orden judicial.
— Niños con dificultades emocionales.
— Niños muy pequeños.

Este modelo plantea al niño algunos inconvenientes. La ruptura de la continuidad física, ya que el niño vive en dos hogares y la adaptación a los cambios que ello conlleva. El problema es mayor cuanto menor sea al niño, de tal modo que se desaconseja para niños menores de tres años; para aquellos entre tres y cinco años se puede considerar este tipo de custodia siempre y cuando los padres mantuvieran un contacto frecuente previamente.

Para aquellos padres que optan por este sistema siendo sus hijos pequeños, lo mejor es fijar un régimen de visitas muy frecuente que se incrementa poco a poco y se iguala en tiempo para ambos progenitores en torno a los seis o siete años.

Custodia alterna o repartida

En algunos países se han elaborado documentos para reformar la legislación vigente en materia de custodia e introducir la custodia alterna como una opción posible. La custodia alterna combina los principios de la custodia compartida aunque el objetivo es que los hijos convivan de forma alterna con ambos padres por períodos de tiempo a determinar. Los principios sobre los que se articula esta propuesta se basan en el derecho de los niños a ser educados por su padre y por su madre con independencia de la situación familiar que vivan. Se suprime el derecho de visitas al entender que padre y madre tienen el derecho y el deber de mantener relaciones personales con sus hijos. El objetivo es crear una fórmula que permita al hijo compartir el tiempo con sus padres a partes iguales.

Al igual que en la custodia compartida, *se intenta fomentar la coparentalidad, es decir, el ejercicio común de la autoridad parental en condiciones de igualdad;* se intenta garantizar a los niños el derecho de filiación con independencia de que sus padres estén juntos o separados. A continuación recogemos los principios básicos establecidos para este tipo de custodia:

- Se le otorga al padre y a la madre el mismo estatus en relación a la educación de sus hijos, compartiendo igualdad de responsabilidades y de derechos.
- Se intenta que el tiempo de convivencia de los hijos con sus padres después de la separación sea similar.
- Se le asegura al niño el derecho a tener un vínculo continuo con ambos progenitores, basado en la calidad de las relaciones padres-hijos y no en la calidad de las relaciones que mantienen los cónyuges separados entre sí.

Ventajas e inconvenientes de la custodia compartida y alterna

Ventajas de la custodia compartida y alterna
— Ambos padres se mantienen como cuidadores y figuras educativas. — Ningún progenitor se convierte en secundario y periférico. — Se garantiza la proximidad emocional de los dos a sus hijos. — No se cuestiona la «aptitud» de ninguno de los padres. — Se reduce el conflicto de lealtad en el niño. — No hay discontinuidad en la relación con los hijos.

A continuación comentamos algunas valoraciones en torno a estos dos tipos de custodia:

- *Tanto en la custodia compartida como en la alterna es fundamental que ambos padres se reconozca mutuamente como figuras válidas e idóneas para ocuparse de los hijos.*
- *El hecho de no litigar y luchar por una custodia monoparental reduce la competitividad entre los padres y disminuye el número de conflictos.* Esta situación beneficia enormemente a los hijos, que crecen en un clima de mayor respeto y tolerancia.
- *Al no estar inmersos en la búsqueda de los fallos y errores del otro para argumentar la solicitud de custodia monoparental, la imagen de los padres no queda devaluada.*
- *Este tipo de custodia aumenta la seguridad personal al no tener que demostrar constantemente la valía y competencia, lo que permite mantener pautas educativas firmes y coherentes.*
- Partiendo de la idea de que los padres perfectos no existen, *ambos progenitores deben admitir que encontrarán aspectos de la relación entre sus hijos y su ex con los que no estarán de acuerdo, pero hay que mantenerse al margen y respetar las diferencias.*

Inconvenientes de la custodia compartida y alterna

— Mayor coste económico porque cada uno de los padres tiene que tener un espacio para el hijo con ropa, juguetes, muebles...
— Mantener una proximidad geográfica de los dos hogares del niño.
— La dificultad de ajustar ambos progenitores sus horarios laborales para compaginarlo con el cuidado de los niños.
— Adaptación del niño a dos hogares.

Valorando las ventajas e inconvenientes de la custodia compartida, es obvio que para la salud psicológica del niño ésta sería la mejor opción posible. Hay numerosas investigaciones sobre los efectos de este tipo de custodia comparándola con la custodia monoparental. En los casos de custodia compartida los hijos refieren estar más satisfechos con sus contactos y accesos a ambos padres, presentan un mayor nivel de autoestima, mejores niveles de adaptación y las interacciones entre padres e hijos tienen un menor número de conflictos. Cuando la custodia es monoparental, los hijos refieren insatisfacción en relación al tiempo que pasan con el padre no custodio y dificultades en el acceso a éste, baja autoestima y dificultades de adaptación.

Actualmente la ley no contempla esta posibilidad, pero esto no debe interpretarse en el sentido de que la prohíba. *Aquellas parejas con un alto grado de madurez que sepan separar la conyugalidad de la parentalidad puedan plantearse esta opción.* El asesoramiento del psicólogo para prevenir situaciones de riesgo puede beneficiar enormemente y garantizar las ventajas de esta opción.

A nuestro juicio, esta alternativa tiene un riesgo: el reparto igualitario en cuanto a tiempo, manutención y otras cuestiones, puede convertirse fácilmente en un foco de conflicto. *«Yo paso mucho más tiempo con él», «esta semana has trabajado todas las tardes y me he tenido que ocupar yo de todo».* Si el espíritu del acuerdo es medir si el otro está haciendo lo mismo que yo, y no se soportan las diferencias, aparecerá el reproche y el acuerdo fracasará. *No se trata de convertir la custodia compartida o alterna en un reparto al 50 por 100 de forma rígida. Tampoco se trata de comparar «lo que yo hago y tú no haces» en cada momento; la flexibilidad y tolerancia son especialmente importantes.*

La pensión alimenticia

> **Artículo 93. Código Civil**
>
> El Juez, en todo caso, determinará la contribución de cada progenitor para satisfacer la satisfacción de todos los alimentos y adoptará las medidas convenientes para asegurar la efectividad y acomodación de las prestaciones a las circunstancias económicas y necesidades de los hijos en cada momento.
>
> Si convivieran en el domicilio familiar hijos mayores de edad o emancipados que carecieran de ingresos propios, el Juez, en la misma resolución, fijará los alimentos que sean debidos conforme a los artículos 142 y siguientes de este código.

La contribución al mantenimiento y la educación de los hijos es una obligación que incumbe a ambos padres una vez establecida la filiación. ¿Por qué durante el tiempo en que la pareja convive junta, ésta asume los gastos y después de la separación las cargas económicas se convierten en motivo constante de discordia? La fijación de la cuantía de las pensiones alimenticias origina importantes y costosos contenciosos. Cada año, unos 40.000 procedimientos resultantes del divorcio se refieren únicamente a esta cuestión.

Muchos padres separados piensan que es injusta la situación en la que quedan al separarse. Se sienten expoliados al tener que pagar de por vida una pensión compensatoria a la mujer si ella no trabaja. Consideran injusto tener que pagar una manutención que no contempla los gastos de los hijos cuando éstos están con el padre. Parece que esta injusta desigualdad se convierte para algunos hombres en la principal causa del impago de pensiones. En otras ocasiones, es el sentimiento de marginación en las decisiones que incumben a la vida de su hijo, lo que motiva el incumplimiento o los retrasos del pago de la pensión.

Aquellos padres que eluden el pago de la pensión deberían plantearse ¿para qué? Un porcentaje alto de hombres separados comentan que no pasar la pensión es una acción dirigida contra la madre de su hijo. La rabia y agresividad no resuelta hacia el ex cónyuge se canaliza en esta negativa. No acceder a la petición de la madre que reclama el pago de la pensión es una forma de pasar factura, una forma de agredirla.

Pero como ya hemos comentado anteriormente, en las separaciones no hay ganadores, el principal agredido será el niño. Si durante la convivencia de la pareja no se planteó la posibilidad de eludir los gastos económicos, ¿qué cambia con la separación? *Las responsabilidades con los hijos deben mantenerse antes y después de la ruptura de la pareja. El niño necesita estabilidad económica y los mínimos cambios posibles en su vida. Cuando la madre no recibe la manutención el principal afectado será el niño.*

El padre debería hacerse la siguiente pregunta: *¿cuál es el motivo por el que no quiero mantener a mi hijo?, ¿hay alguna respuesta que lo justifique? Pero ninguna de las razones que se pueden articular es excusa para no asumir esta responsabilidad. El niño interpreta esta irresponsabilidad como la prueba de que no es suficientemente importante para su padre. Si su padre no se ocupa de él, es que no lo quiere. Además, el padre que elude esta responsabilidad se presenta como un modelo de irresponsabilidad ante su hijo.*

A la inversa, *muchas madres obstaculizan el régimen de visitas porque el padre no pasa la manutención. Se toma esta decisión como una forma de venganza contra el padre.* Pero antes de satisfacer esta necesidad hay que pensar en las consecuencias que esta actitud tendrá en los hijos: el niño necesita ver y estar con su padre. Un amor maduro por los hijos debe anteponer las necesidades del niño a las necesidades personales.

El impago de la pensión se acompaña de las correspondientes denuncias en los juzgados. El niño oye que *«su padre no quiere ocuparse de él», hay que mantener al niño al margen de las disputas judiciales en torno a este tema. No hay que aprovechar la ocasión para hablar de los múltiples problemas económicos con los hijos.* Frases como *«por cul-*

pa de tu padre estamos así» o *«tu padre no te quiere pagar el colegio»* deben evitarse. Por el contrario, *aunque el padre se niegue a pasar la pensión, el niño necesita que se le tranquilice diciéndole: «no te faltará lo necesario».*

La separación no debe suponer para los hijos un cambio drástico en su modo de vida derivado de la nueva situación económica tras la separación. Sobre todo cuando esta disminución es consecuencia del conflicto de poder entre sus padres. Esto es algo sobre lo que ambos progenitores deben reflexionar.

10 El régimen de comunicación y visitas

El régimen de comunicación y visitas: aspectos generales

> **Código Civil. Artículo 94**
>
> El progenitor que no tenga consigo a los hijos menores o incapacitados gozará del derecho de visitarlos, comunicar con ellos y tenerlos en su compañía. El juez determinará el tiempo, modo y lugar del ejercicio de este derecho, que podrá limitar o suspender si se dieran graves circunstancias que así lo aconsejen o se incumplieren grave o reiteradamente los deberes impuestos por la resolución judicial.

Este régimen de comunicación y visitas no es sólo un derecho del padre, es también un *derecho del niño y un deber del padre y es responsabilidad del padre/madre custodio que el régimen funcione.*

> **Carta Europea de los Derechos del Niño**
>
> 8.13. En caso de separación de hecho, separación legal, divorcio de los padres o nulidad del matrimonio, *el niño tiene derecho a mantener contacto directo y permanente con los padres,* teniendo

ambos las mismas obligaciones, incluso si alguno de ellos viviese en otro país, salvo si el órgano competente en el Estado miembro afectado lo declarase incompatible con la salvaguardia de los intereses del niño. Se deberán adoptar pronto las medidas oportunas para impedir el secuestro de los niños —su retención o no devolución ilegales perpetrado por uno de los padres o por un tercero—, ya tenga lugar en un estadio miembro o en un tercer país. Los procedimientos legales adoptados deberán ser aptos para resolver las discrepancias de manera económica y expedita y deberán ser fácilmente aplicables en toda la Comunidad.

El régimen de comunicación y visitas es asignado al progenitor no custodio y constituye uno de los derechos fundamentales del niño. *Es responsabilidad del progenitor garantizarle al niño la continuidad de la relación tras la separación, y su incumplimiento conculca gravemente los derechos del niño.*

Las discusiones sobre el régimen de visitas ocurren en el 44 por 100 de las parejas que se divorcian cuando sus hijos tienen cinco años o menos (Benedek, 1999).

La interpretación literal que se ha hecho del término «régimen de visitas» ha contribuido a la creencia de que hay un «padre que visita» y un «niño que recibe visitas». La rigidez de mantener estos conceptos impide asimilar a la sociedad que *se trata de propiciar que la interacción padres-hijo se produzca en el mayor número de situaciones.* «Visitar» parece que implica un papel pasivo, «interactuar» supone un papel activo. En las separaciones contenciosas se sigue un cumplimiento estricto y rígido intentando limitar estas interacciones a «lo estipulado» en el convenio; *cualquier deseo de ampliar las visitas, es decir, las interacciones, se acompaña de una denuncia que sitúa al progenitor en la «ilegalidad».*

Deberían producirse cambios legislativos que amparen a aquellos padres que desean pasar de meros visitadores a padres activos, que el deseo de aumentar la relación con el hijo no fuese interpretado más que como un compromiso de participar activamente en la vida del hijo y un indicador del grado de su responsabilidad.

Lo ideal sería que las relaciones entre padres e hijos se establecieran de una forma flexible y según las necesidades del niño. Pero las parejas separadas son incapaces de llevar este sistema sin que surjan conflictos que precisen de una regulación real; por ello, la mayoría tiene que fijar en el convenio regulador los días entre semana de visita, la distribución de fines de semana y los períodos vacacionales. La experiencia demuestra que la flexibilidad es una fuente de conflictos en las parejas litigantes y sólo se puede llevar a cabo con parejas capaces de mantener de forma adecuada la comunicación.

El régimen debería fijarse en función del nivel evolutivo del niño e ir modificándose en función de una serie de variables que son importantes: cambios laborales de los padres, aumento o disminución de disponibilidad en tiempo de los progenitores, la edad del niño, necesidades distintas... Sin embargo, en la realidad no hay una revisión periódica del régimen como tampoco se realiza una evaluación psicológica de las consecuencias de los acuerdos adoptados. Esta situación propicia una situación de abuso por parte del progenitor con la custodia que conlleva que cualquier intento de cambio pase inevitablemente por los juzgados.

«Carlos solicita revisar lo estipulado en el convenio regulador a su ex mujer Rosa; concretamente, desea introducir algunas modificaciones en el régimen de comunicación y visitas. Actualmente, su hija tiene tres años y le gustaría recogerla y llevarla al colegio todos los días, así como ampliar la estancia del fin de semana para que duerma en casa la noche del viernes. Al contactar con Rosa para valorar conjuntamente la petición de Carlos, ésta se niega aduciendo que su abogado desaconseja cualquier entrevista con nosotros; es entonces cuando Carlos presenta una propuesta de modificación de medidas en el juzgado.»

Los progenitores han de contemplar la posibilidad de modificar sus acuerdos tras la separación en función de la evolución de sus circunstancias personales y de las necesidades del niño. A continuación exponemos algunas de las conclusiones que realizamos al analizar la petición de Carlos:

— La propuesta de Carlos no es desmedida en cuanto se sustenta sobre una relación previamente establecida y consolidada con su hija.
— Carlos desea asumir el concepto de coparentalidad con su ex mujer ampliando sus responsabilidades.
— Su solicitud es un indicador del grado de implicación afectiva y de motivación como padre.
— Aumentar la frecuencia de los contactos con su hija contribuye a evitar la consolidación de un padre periférico, que tan perjudicial es para las relaciones entre padres e hijos.
— Al aumentar la frecuencia de los contactos, éstos se hacen más regulares y la regularidad de las relaciones paternofiliales amortigua los niveles de ansiedad que posteriormente a cualquier separación experimentan los hijos.

El régimen de comunicación es, junto al pago de la pensión y la asignación de la custodia, uno de los principales motivos de litigio en los tribunales y en torno a él se generan numerosos conflictos. Es fundamental que el niño conozca el régimen de visitas asignado a su padre, los días en que se concreta (señalizados en su calendario) y la hora de dichos encuentros. Cualquier cambio que se realice debe ser informado al menor aunque es conveniente mantener la regularidad sin excesivos cambios, sobre todo cuando los hijos son pequeños.

Comprobamos que en torno a lo estipulado en el convenio regulador respecto al régimen de comunicación y visitas, se generan situaciones con graves repercusiones en el niño. *En líneas generales, se sigue un cumplimiento rígido y muy estricto del mismo; no se permiten modificaciones ni cambios en función de acontecimientos que pueden ir surgiendo.* Se argumenta en contra de cualquier modificación «que es lo estipulado en el convenio». Hay que favorecer el contacto del niño con sus padres, *la ley recoge las condiciones mínimas que deben cumplirse, pero ello no excluye que los propios padres lo amplíen en aras de aumentar las interacciones.*

El hecho de que el padre tenga asignado un día a la semana para estar con su hijo no debe impedir el contacto cualquier otro día, aunque no esté recogido así en el convenio. Son muchos los padres denunciados por ir a la salida del colegio a ver a sus hijos, el delito cometido es ir un día que no les corresponde. La actitud ante estas situaciones debe ser reflexiva; por un parte, el progenitor con la custodia debería pensar: ¿perjudica a mi hijo que su padre le salude a la salida del colegio y esté con él un rato?; y el progenitor que no tiene la custodia y que es el que realiza las visitas debe plantearse qué consecuencias pueden tener en su hijo las visitas imprevistas.

Introducir el criterio de flexibilidad es enormemente difícil para la pareja y generalmente se traduce en conflictos y tensiones. En la realidad, la mayor parte de los separados se muestran incapaces de poner en práctica lo que los profesionales aconsejan: un sistema libre de visitas.

«Con un régimen de visitas, los días para ver al padre o a la madre quedan rígidamente fijados, y es una verdadera lástima, pues la asiduidad y el deseo de verse entre padres e hijos no puede obedecer a días tan establecidos. Si los padres viven en ciudades diferentes, el niño puede entender esta medida; pero cuando viven en la misma ciudad, las relaciones de afectividad quedan deshumanizadas si se las regula según los días de la semana y no conforme a las afinidades de uno y de otro» (Dolto, 1988).

Las preferencias de los hijos muestran que éstos eligen sistemas de visitas flexibles y sin restricciones. Cuanto más pequeños son los hijos, demandan mayor duración de las visitas, y a medida que crecen, quieren más flexibilidad y visitas más cortas (Neugebauer, 1988). En general, el adolescente siente necesidad de desvincularse e independizarse de sus padres en familias intactas y en familias monoparentales.

El régimen de visitas según el período evolutivo del niño

Martín Corral (1997) marca una serie de pautas a tener en cuenta en la elaboración de un programa de visitas para el progenitor no custodio. Recogemos según los períodos evolutivos del niño algunas de las consideraciones a tener en cuenta y las comentamos.

Entre los tres y los cinco meses el bebé adquiere la habilidad para distinguir entre las figuras de apego y las personas extrañas a través de informaciones perceptivas y motoras asociadas a acontecimientos de la vida cotidiana. El espacio físico y la dimensión temporal son muy limitados y reducidos para el bebé; de ahí la importancia de que el progenitor no custodio esté presente en los acontecimientos cotidianos del niño.

Por ello creemos que es muy importante que pudiera participar en el cambio de pañales, dando biberones, en el baño, en el paseo..., que al bebé le resulte familiar su voz, su olor, su tacto...; el contacto diario sería lo más conveniente, pero atendiendo a la realidad se pueden elaborar planes de visita cada dos o tres días en el contexto familiar.

Existe una gran confusión en torno a este período evolutivo y una creencia generalizada de que prescindir del padre no tiene ninguna repercusión; en realidad, su ausencia puede determinar que el niño no desarrolle un vínculo de apego con él.

Parece imposible que en este período se deje al niño pernoctar con su padre. Se da por supuesto que el hombre no tiene capacidad para interesarse por el bebé, y la creencia de que el padre no oirá el llanto del bebé se utiliza como argumento que justifica la necesidad de la presencia física de la madre en detrimento de la del padre. En una interesante investigación, Frodi y cols. (1978), investigan las respuestas de los padres y de las madres a las caras y llantos de bebés normales y prematuros. En este estudio se examinan aspectos como la sensibilidad de un adulto con el niño: ¿le afecta la mera visión de un bebé?; el llanto, ¿le impulsa a actuar? El objetivo de la investigación es estudiar si existen diferencias intersexos. Los datos obtenidos no mostraron diferencias entre las madres y los padres: ambos emitían respuestas idénticas; con la excepción de que las madres estaban más atentas al inicio del llanto.

Si el bebé ha estado acostumbrado a dormir fuera de casa, por ejemplo, en casa de abuelos o tíos cuando los padres han salido, ¿por qué le va a perjudicar ahora dormir en casa del padre no custodio? En el caso de que el niño no esté acostumbrado deberían analizarse las características de la relación y del vínculo, porque a lo mejor es desaconsejable hasta que no se den unas determinadas circunstancias:

— Vínculo de apego sólido.
— Regularidad en los contactos con una frecuencia casi diaria.
— Interacciones muy amplias en la vida cotidiana.

Desde los tres años hasta los cinco años

En esta etapa el niño desarrolla la capacidad de reconstruir el pasado y anticipar el futuro mediante la representación verbal; al desarrollar esta habilidad, la extensión de la comunicación con el padre no custodio se intensifica. A partir de los tres años el menor puede pasar días completos fuera del hogar habitual y son convenientes las visitas con pernocta.

A estas edades es muy importante el mantenimiento de las rutinas habituales del niño, ya que la dimensión temporal en este período se delimita a través de los momentos clave del día; estructurar de manera predecible su estancia es fundamental, ya que le ayuda a organizar su percepción del tiempo y contribuye a su estabilidad emocional.

La percepción del tiempo para el adulto en un fin de semana puede estar muy mediatizada por las actividades realizadas, la inactividad puede contribuir a que se perciba que las horas pasan lentamente. Puesto que para algunos niños pasar el fin de semana fuera de su hogar habitual puede resultar demasiado largo, hay que tener en cuenta estos aspectos para contribuir a que su estancia sea lo más gratificante.

A los cuatro años ya pueden utilizar el calendario para perfilar su expectativa de cuándo se producirán los encuentros o la vuelta al domicilio habitual. La ausencia del progenitor no custodio debe reforzarse con fotos y mediante contacto telefónico y no debe prolongarse más allá de una semana. A esta edad ya puede pasar tiempo de sus vacaciones con el no custodio.

Desde los seis años hasta los once años

En esta etapa, para el niño adquieren especial importancia las relaciones fuera del contexto familiar, necesita estar con sus amigos. A estas edades, el niño suele pasar con el padre no custodio desde el viernes después del colegio o desde el sábado por la mañana hasta el domingo noche o lunes por la mañana. No es aconsejable que el niño pase más de dos semanas sin contacto con el progenitor no custodio, por lo que es conveniente que durante la semana se produzcan encuentros después de la jornada escolar. En ocasiones, la programación de actividades extraescolares en el horario de visitas del no custodio se utiliza para dificultar la relación; muchas madres saben que al niño le encanta la clase de pintura o de natación y las hacen coincidir con los días asignados de visitas al padre.

Se coloca nuevamente al niño ante un dilema de elección cuando se le hace partícipe del conflicto entre sus clases y la visita de su padre y se le pide que decida qué hacer.

Desde los doce años hasta los dieciocho años

La adolescencia supone para el hijo la etapa en la que afirma su autonomía y su independencia; por eso el adolescente se resiste a atenerse a planes prefijados tanto con el progenitor custodio como con el no custodio. Es fundamental que padres e hijos acuerden y negocien los encuentros compatibilizando sus intereses y necesidades, las visitas no deben quedar rígidamente establecidas y deben respetar las relaciones sociales de los hijos.

Cuando el padre incumple el régimen de comunicación y visitas: la importancia de la regularidad en los contactos con el hijo

El porcentaje de padres separados sin custodia que deja de visitar a sus hijos al cabo de varios años de divorcio es del 50 por 100; cuanto más tiempo pasa después de la separación, mayor es la probabilidad de reducir las visitas. También se reducen las visitas cuando el progenitor sin la custodia establece una nueva relación (Braver, 1987).

Los estudios sobre las interacciones y contacto entre padres separados y sus hijos evidencian que las relaciones con el padre ausente caen drásticamente, sobre todo cuando se analizan desde una perspectiva longitudinal. En general, la pérdida de contacto con los hijos es una consecuencia sufrida por el padre casi exclusivamente. De hecho, el principal obstáculo descrito por los hombres separados en las relaciones con sus hijos suele ser la obstaculización al régimen de visitas por su ex mujer.

A pesar de la postura unánime de todos los profesionales que aconsejan regularidad en los contactos entre padres e hijos, la realidad ofrece cifras alarmantes. Teniendo en cuenta que la custodia mayoritariamente la tiene la madre, los datos informan que sólo el 25 por 100 de los hijos de parejas divorciadas ven a su padre una o más veces a la semana. En un 33 por 100 de los casos los hijos no ven al padre o lo ven unas cuantas veces al año (Seltzer, 1991).

Esta regularidad en los contactos es más importante cuanto menor sea el niño, ya que su comprensión del tiempo puede crearle situaciones de riesgo desde el punto de vista psicológico. Por ejemplo, si a un niño de tres años se le dice: «papá vendrá la semana que viene», como su comprensión del tiempo sólo logra entender el concepto de mañana, realmente no sabrá cuándo va aparecer su padre, y la espera puede crearle ansiedad e inseguridad, sensación de abandono o temor a que no vuelva. Si esto ocurre cuando el niño es muy pequeño, se aumentan las dificultades de crear un vínculo sólido y estable entre el padre y el hijo; posteriormente, ello puede conllevar dificultad de identificación con un progenitor que aparece y desaparece. Toda esta situación se agrava con el silencio que se produce en la mayor parte de los casos, en los que no se nombra al padre, no se tienen fotografías para recordarlo o no se usa el teléfono para hacerlo presente.

Por eso es fundamental que los bebés mantengan contactos breves y casi diarios para fortalecer el vínculo emocional y los niños menores de siete años mantengan contactos breves y frecuentes. Debemos tener en cuenta que sólo comprenden el concepto de mañana a los cuatro años, a los cinco el de pasado mañana, en torno a los 6-7 años el de una semana o un mes y sólo hasta los 7-8 años logran comprender el concepto de siempre.

El objetivo del régimen es intensificar las relaciones entre padres e hijos; por ello, es fundamental que el padre no custodio aproveche la estancia de los hijos para estar el máximo tiempo con ellos y evite en la medida de lo posible dejarlos con otros familiares o delegar sus responsabilidades en otros.

«Elena consulta con el psicólogo porque su hijo, Martín, de 9 años, presenta signos de ansiedad. En el estudio psicológico realizado a Martín se comprueba que parte de su ansiedad se deriva de la relación con su padre. Siente que su padre no le quiere, lo tiene abandonado y no se preocupa de él. Sus padres están separados desde hace un año y el cumplimiento del régimen de comunicación y visitas por parte del padre es muy irregular. Muchos fines de semana no lo recoge y no avisa, se retrasa, no le llama por teléfono...»

Las repercusiones psicológicas de la actuación de este padre son muy graves. La inestabilidad y la inseguridad afectiva de Martín se sustentan sobre el comportamiento del padre. Éste vulnera un derecho fundamental del niño al tiempo que incumple con sus responsabilidades paternas.

Cuando alguien tiene una cita se prepara para ella, espera con ilusión que llegue el momento; si la persona se retrasa, consulta constantemente el reloj y a medida que transcurre el tiempo la ansiedad va aumentando: «¿se habrá olvidado?», «¿se acordará de que hemos quedado...?». Esto es lo que le ocurre a Martín cuando su padre no llega: piensa que se le ha olvidado, que él es poco importante, la ilusión del primer momento da paso a la decepción y posteriormente al enfado; un enfado que no puede expresar porque si no su madre lo utilizaría en contra de su padre, pero tampoco puede expresarlo ante su padre porque ése no lo entiende.

Aparecer y desaparecer en la vida del niño sin aviso, sin advertencias, sin explicaciones es nefasto. Es absolutamente fundamental llamar si uno se va a retrasar, explicar con antelación cualquier cambio, disculparse si uno no puede ir, es decir, tratar al niño como si de un adulto se tratase porque se merece el mismo respeto y consideración. Algunos padres se engañan a sí mismos pensando que el niño, como es pequeño, no se entera; no hay nada más falso que esta afirmación. El niño es pequeño pero experimenta las mismas emociones que un adulto de inseguridad, angustia, decepción, tristeza, enfado..., con el agravante de su mayor vulnerabilidad.

El otro progenitor tiene aquí un importante papel y es el de amortiguar el dolor del niño, no aprovechar la ocasión para demostrar lo «irresponsable y mal padre» que es el ex cónyuge. En este sentido, frases como las siguientes pueden serle de utilidad: *«cuánto siento que papá no haya venido», «no sé que ha pasado», «quizá estés enfadado, decepcionado o triste», «tu padre no se da cuenta de lo importante que son sus visitas para ti»*. Hablar de lo que ha ocurrido para que el niño pueda expresar sus sentimientos es muy importante, ayudarle a ponerle nombre a su estado emocional amortigua su dolor.

En el caso de que el progenitor sea incapaz de mantener con regularidad el régimen de visitas, sería incluso mejor reducir éste para evitar que se produzcan situaciones como las que vive Martín.

Un padre que incumple con sus responsabilidades paternas se presenta ante el hijo como un modelo de irresponsabilidad.

Obstáculos al régimen de comunicación y visitas

La interferencia en las visitas constituye un problema grave para los hijos de separados. Alrededor del 50 por 100 de los hombres se quejan de interferencias por parte de su ex mujer, y un 40 por 100 de las madres con custodia admiten que utilizan la interferencia para castigar a su ex cónyuge (Arditti, 1992).

«Que se cree que va a ver a mis hijos cuando le dé la gana, está muy equivocado.» Esta frase, muy extendida entre madres en trámites de separación, refleja un trasfondo cultural realmente alarmante. El concepto de propiedad que muchos progenitores desarrollan con sus hijos les lleva a creer que tienen el monopolio de la relación. Así que una vez puesta en marcha la maquinaria judicial, el principal objetivo es dificultar o impedir los contactos y las visitas al ex cónyuge.

Es frecuente que el padre que ostenta la custodia obstaculize la relación del niño con el otro progenitor, bien de forma intermitente o transitoria. En los casos más graves lo consiguen durante largos períodos de tiempo.

No contestar al portero automático, no estar en casa cuando el padre viene a recoger al niño, no pasar sus llamadas, hacer coincidir actividades extraescolares con el tiempo que debe estar con su padre, negarse a hacer cambios de fines de semana o en vacaciones e impedir que el niño pase días festivos entre semana con el padre, son algunos ejemplos de cómo dificultar la relación entre el hijo y el padre.

«El día del cumpleaños de Ana su padre llama para felicitarla; en los dos últimos años su madre afirma que esa llamada le amarga el día, y por eso decide desconectar el teléfono. Este año, su padre le ha dejado un mensaje en el contestador: "feliz cumpleaños Ana, te quiero mucho". Pero este mensaje no ha llegado a Ana; ésta piensa que a su padre se le ha olvidado llamar. Su madre no tiene ningún interés en desmentir esta falsa idea porque de algún modo tiñe negativamente la imagen del padre.»

«Loli ha advertido a su hija que el día que su padre viene a por ella han de permanecer en casa sin hacer ruido, bajan las persianas y no contestan a las llamadas del teléfono ni del portero automático. Esta situación se repite cada quince días: intentan hacer creer a su padre que no están en casa.»

Es frecuente no dejar al niño con su padre con el pretexto de que está con un ligero catarro, con febrícula o con tos. En estas ocasiones, la madre pone como excusa la salud del niño, la toma de medicamentos y el control de la temperatura, alegando que el padre no es capaz de encargarse de todo y que ella no se queda tranquila. Aunque es difícil, la madre tiene que aprender a confiar en la responsabilidad paterna, pues cuando nos encontramos solos en determinadas circunstancias aprendemos a controlarlas, aunque anteriormente nos hayamos confiado porque otras personas lo hacían por nosotros.

A veces la madre sólo ve problemas o destaca los aspectos negativos de la estancia del hijo con su padre: *«no se ocupa de los niños, no juega con ellos, los deja en casa de su madre...».* Tras estas quejas encontramos una forma encubierta de invalidar al padre. Hay que aceptar que el estilo de relación de los hijos con cada uno de los padres será distinto y que no van a ocupar su tiempo igual cuando están con uno y con otro. *Incluso en las ocasiones en las que el padre ca-*

rece de habilidades para relacionarse con su hijo, no se trata de eliminar al padre, sino de enseñarle a tener una relación más satisfactoria.

Otra forma de obstaculizar la relación al padre no custodio es solicitar un traslado en el trabajo. Así fue cómo Susana, alegando su deseo de ascender profesionalmente, solicitó un destino a 500 km de la localidad donde había residido durante el matrimonio. Cualquier persona está en su derecho de mejorar a nivel laboral; quizá las dudas sobre la verdadera motivación de Susana surgen cuando este traslado se pide en el contexto de una separación llena de litigios, con denuncias constantes por parte del padre de interferencias en el régimen de comunicación. Si el interés del menor es mantener con regularidad contactos frecuentes con ambos progenitores, es evidente que esta decisión tomada por la madre pone en entredicho que se haya valorado este importante aspecto.

La interferencia al régimen de comunicación se encuentra muy generalizada y sus consecuencias son muy graves; las medidas actuales no son suficientes para proteger al menor. *Deberían adoptarse medidas más contundentes ante el hecho de que los derechos del niño se vulneren de este modo: sanciones económicas, cambio de custodia o el ingreso en prisión* (Turkat, 1994). Creemos que es necesario la supervisión por parte de un profesional en todo este proceso: es evidente que una vez dictada la sentencia sobre el régimen de visitas, en la mayor parte de los casos el menor queda desprotegido.

A nivel diagnóstico se deberían identificar aquellos padres con un alto grado de conflictividad entre ellos: es preciso garantizar legalmente al niño el derecho a las relaciones con sus dos progenitores y evitarle convertirse en el objeto de posesión de uno de ellos. La realidad actual requiere de la intervención de especialistas: es preciso imponer a ambas partes la obligatoriedad de ser asesorados y supervisados psicológicamente para paliar daños a los hijos, y según los casos, la necesidad de la mediación familiar.

Otro criterio que deben introducir los profesionales es *la identificación del progenitor facilitador en oposición al obstaculizador:* es preciso someter a evaluación la evolución y el cumplimiento del régimen de visitas, de tal modo que se identifiquen los roles que cada uno asume. El progenitor facilitador sería aquel que propicia la relación de los hijos con el ex y se implica para que la relación funcione entre ellos. Considera beneficiosa la relación para ambos y favorece la interacción en el mayor número de situaciones posibles. El obstaculizador, muchas veces se presenta como tal, y declara abiertamente que la relación de su hijo con su padre/madre le es perjudicial. Pero en muchas ocasiones, ante los profesionales, intenta enmascarar su actitud. Frases como: *«si a mí no me importa que se relacione con su padre/madre, es él el que no quiere»*, pueden delatar el desagrado inconsciente ante la relación.

Turkat (1995) propone un programa que denomina Orden Judicial Multidireccional con el que intenta paliar el problema de las interferencias de visitas. Algunas de las estrategias propuestas son:

— *Especificar las fechas y tiempos de inicio y finalización de las visitas, sin posibilidad de doble interpretación aunque con la posibilidad de realizar modificaciones.*

— *La entrega y recogida del menor se realizará en un lugar neutral.*

— *La transferencia de los menores estará supervisada por un profesional por mutuo acuerdo entre los progenitores o por el juez.*

— *Una autorización judicial permitirá al padre objeto de interferencia contar con la policía para evitar la interferencia.*

— *El juez cursará una orden al centro escolar especificando el acceso del progenitor sin custodia y su derecho a ser informado sobre el programa y la trayectoria escolar del hijo.*

— *Los profesionales responsables de cualquier actividad en la que esté implicado el niño (médica, recreativa, religiosa) proporcionaran acceso e información al progenitor no custodio.*

— *Cuando las actividades coincidan con el horario de visitas del progenitor, el juez puede intervenir mediante una orden dirigida al profesional prohibiendo la participación del menor.*

En muchas ocasiones son los familiares (abuelos, tíos o cuñados) los que aconsejan a la madre que limite el acceso del padre. *«Bastante le dejas verlo»*, *«ya lo ve bastante durante la semana»;* parece que la madre le hace un favor al padre porque le deja verlo. Estas frases evidencian la creencia generalizada de que es la mujer la que debe «permitir» o «autorizar» la relación, y sobre esta idea aconsejan que limite o reduzca los contactos. Pocos son los que se plantean que esta reducción a quien más afecta es al niño, porque éste necesita justo lo contrario.

Cuando el niño se niega a las visitas

Un 60 por 100 de niños se resisten a ir con el padre no custodio o a regresar con el custodio después de las visitas de fin de semana. Un porcentaje mínimo de negativas puede deberse a maltrato psicológico, abuso sexual o a la presencia de cuadros psicopatológicos graves en los padres. Pero en la mayor parte de los casos la negativa se debe a una razón mucho más sencilla.

Desde el punto de vista psicológico es fundamental mantener la continuidad en las visitas y que éstas sean más frecuentes cuanto más pequeño es el niño. Cuando los adultos llevamos mucho tiempo sin ver a una persona con la que tenemos una estrecha relación, al principio no sabemos muy bien cómo actuar, pero conforme pasa el tiempo, la relación recupera espontaneidad y naturalidad. Estas mismas sensaciones son las que experimentan los niños, pero el problema se agrava porque la ruptura de esta continuidad se produce con mucha frecuencia y en ocasiones es alimentada por uno de los progenitores. La función del progenitor continuo en este caso es ayudar al discontinuo y su hijo a buscar fórmulas que permitan evitar estas situaciones.

La negativa del niño puede responder a la incomodidad que esta situación le provoca, pero también puede ser la reacción que espera su madre/padre de él. Cuando el niño se encuentra ante un conflicto de lealtades, teme defraudar, si se va con el otro, es como si estuviese traicionando su lealtad. Todo el mundo espera que cuando tienes un problema con alguien, tus amigos se sitúen a tu lado y rechacen o muestren su desagrado ante la persona con la que hemos tenido el problema. Esto es exactamente lo mismo que algunos padres piden a sus hijos, aunque no se explicite verbalmente, el niño capta que al padre le desagrada que el estar con el otro progenitor sea algo esperado, agradable o que haga ilusión.

Hay situaciones en las que el contacto del menor con su padre/madre ha sido prácticamente inexistente, de tal modo que el progenitor es un desconocido para el niño. En estos casos es evidente que el niño se mostrará reacio a irse con una persona con la que no tiene un vínculo. Y en estas circunstancias, en las que el padre manifiesta su deseo de reanudar la relación con el hijo, lo mejor es que el otro progenitor le ayude, que al principio las visitas se realicen en presencia de él o de sus familiares y que éstas sean cortas al principio y se amplíen con el tiempo.

Otra de las razones que sustentan la negativa del niño puede ser que éste se encuentre bajo el síndrome de alineación parental. La presión de un padre alineador es razón suficiente para que el niño manifieste esta negativa. Las razones que el niño verbaliza deben ser valoradas y analizadas en cada caso.

La mejor respuesta que se puede dar al niño es decirle con firmeza que debe estar con su padre. Al igual que ocurría con la custodia, si cuando el niño dice que no quiere irse con el padre/madre, capta que su madre se calla, interpretará que a su madre tampoco le gusta que se vaya. Las quejas, como hemos dicho anteriormente, deben ser analizadas, pero hay que saber distinguirlas de las manipulaciones que a veces los hijos intentan. Si un hijo rechaza ir al colegio, podemos escuchar sus razones, pero salvo situaciones excepcionales le contestaremos con firmeza que debe ir. Del mismo modo hemos de responder ante el hijo, pues si el niño ve que su padre/madre titubea, pensará que puede seguir negándose.

Tampoco es aconsejable utilizar esta negativa como una excusa para privar al padre del régimen de comunicación y visitas. Esta opción no resuelve el problema que verdaderamente importa: si la relación entre el padre/madre y el hijo está alterada, hay que reconstruirla, no anularla.

Es frecuente que el niño comente cuánto echa de menos al progenitor ausente cuando está con el otro. Hay que entender esta verbalización como una reacción normal y no concluir que rechaza estar con el otro progenitor.

El niño con reacciones psicosomáticas

Ante la proximidad del fin de semana en el que el niño/a permanecerá con el progenitor discontinuo, éste puede presentar vómitos, dolores de cabeza, de estómago e incluso fiebre. Pero esto no quiere decir que el niño/a rechace a su padre/madre, argumento que suele esgrimirse con el objetivo de reducir o limitar el régimen de visitas. *Los síntomas constituyen un lenguaje que debe descifrarse, es un lenguaje del cuerpo que expresa lo que el niño/a no puede expresar con palabras.*

Es evidente que el encuentro con el padre/madre despierta reacciones y emociones tremendamente fuertes. Pero pueden existir explicaciones alternativas a la tan usualmente aceptada: «el niño/a se pone enfermo porque su padre/madre es malo/a para él/ella».

Precisamente por tratarse del progenitor discontinuo con el que no existe una relación continua, el encuentro conlleva un cierto nerviosismo; son muchos los adultos que ante una cita importante también experimentan síntomas parecidos.

También puede suceder que el encuentro traduzca el malestar que para el niño/a supone encontrarse en medio de dos personas muy significativas y a las que se necesita pero que son incapaces de refrenar su hostilidad. Podemos imaginarnos como adultos situaciones en las que nos hemos encontrado en medio de dos amigos o familiares que mantienen una comunicación agresiva: es muy difícil no experimentar sentimientos de malestar o tensión corporal. Si esto se produce con frecuencia, puede llegar un momento en que se intente evitar el encuentro.

El niño con síntomas psicosomáticos expresa corporalmente la angustia que experimenta, ésta debe analizarse y una vez hallada la causa subsanarla y hablarla con el niño. Alrededor de un 40 por 100 de los niños experimentan algún síntoma psicosomático en el momento de la transición.

Puede suceder que los síntomas respondan a una situación en la que el niño se encuentra en alianza con el progenitor continuo. En esta situación el progenitor ha de ser claro y contundente: *«hoy no puedo estar contigo, es el día en el que debes estar con tu padre»*.

Si el progenitor se encuentra en una situación muy crítica, podría dejar al niño con un tío, familiar o vecino; es mucho mejor que quedarse con él. El niño captará que aunque él se niegue a ver a su padre/madre el progenitor continuo respeta el tiempo y el espacio no estando junto al niño ese día, al tiempo que si se trata de una estrategia manipulativa se cortará.

Ésta es una forma contundente de no crear situaciones como las que hemos constatado en la práctica clínica. *El niño presenta algún síntoma psicosomático porque siente que tiene que «mostrar» su desagrado ante el encuentro con el progenitor. Es como una forma de calmar al padre/madre y evitarse posteriormente la reprobación o incluso el castigo afec-*

tivo. Si muestran el síntoma, justifica su partida y al niño se le hace más fácil irse porque ya ha mandado esta información. Esto les ocurre a muchos niños a los que les resulta muy difícil contrariar a su madre, saben que ésta no aprueban que se vaya con su padre, son niños que no tienen el permiso psicológico de sus madres.

El «relevo»

Es uno de los momentos en el que los niños de padres separados experimentan mayor tensión. Al recoger o llevar de vuelta a los niños, la pareja aprovecha para comunicar algún reproche que rápidamente termina en discusión. Algunas parejas son incapaces de intercambiarse un saludo y aunque no medien las palabras, esos momentos están cargados de tensión. Una y otra vez la escena se repite en cada encuentro, los adultos no se dan cuenta que aprovechan ese momento para descargarse emocionalmente.

Es preciso que ambos padres acuerden evitar este tipo de escenas. En el caso de que sean incapaces y una y otra vez caigan en lo mismo, es conveniente buscar una tercera persona que se encargue del relevo, la cuidadora habitual del niño o algún familiar neutro.

«Estos conflictos, suponen una amenaza al modo en que los niños acaban anticipando el tiempo que van a pasar con el otro padre. En casos extremos, los niños pueden llegar al punto de no querer ver al otro progenitor con tal de evitar la hostilidad entre ambos padres o la expresión de profunda tristeza del padre abandonado» (Benedeck y Brown, 1999).

El niño debe saber con antelación quién le recogerá, la hora y dónde, los retrasos, imprevistos o cambios a última hora deben evitarse porque no hacen más que añadir confusión e inestabilidad al niño. Pero hay que ser flexible si el otro progenitor se retrasa en la entrega del niño, no es conveniente «montar una escena».

La despedida del niño ha de ser rápida, no es conveniente alargarla con besos y abrazos interminables. Hay que evitar frases como: *«no te preocupes por mí», «vete, si yo estoy bien», «llámame en cuanto llegues», «si te pasa algo, no dudes en llamar».*

Impedir al menor el contacto con los abuelos

Código Civil. Artículo 160

No podrán impedirse sin justa causa las relaciones personales entre el hijo y otros parientes allegados. En caso de oposición, el Juez, a petición del menor o del pariente allegado, resolverá atendidas las circunstancias.

Óscar contrajo matrimonio con Teresa y de su unión nació Carlota. La patria potestad es compartida y la custodia de la menor corresponde a la madre, pero no hay establecido ningún régimen de visitas para el padre porque se encuentra en la cárcel. Manuel y Feli son los abuelos paternos, que antes de la separación mantenían contacto periódico una vez a la semana con su nieta, su nuera y su hijo. Pero desde el ingreso en prisión del hijo, hace año y medio, los abuelos no han vuelto a ver a su nieta.

Por este motivo, los abuelos solicitan judicialmente un régimen de comunicación y visitas. Teresa manifiesta su desagrado ante esta petición, pone como condición estar ella siempre presente en las visitas y se opone a la estancia de la niña en casa de sus abuelos.

Realizado el análisis del motivo de litigio, éstas son algunas de las valoraciones que realizamos sobre la necesidad de que se reanude la relación entre la menor y sus abuelos:

- De la entrevista realizada a Teresa se deduce que no hay razones que justifiquen su negativa al contacto de su hija con los abuelos, no se argumentan motivos o razones que invaliden a éstos, ya que el cumplimiento de sus funciones ha sido adecuado. La descripción de la relación previa es adecuada.
- La petición de un régimen de visitas por parte de los abuelos protege a la menor de su derecho a mantener relación con ellos.
- La interrupción de dicho contacto vulnera un derecho del niño, al tiempo que conlleva unas consecuencias a nivel emocional, ya que existía un vínculo entre la menor y sus abuelos.

— La relación entre la menor y los abuelos es satisfactoria, si bien la relación entre éstos y Teresa es tensa, pero debe evitarse que precisamente se traspasen estos conflictos a la menor y contaminen su relación, que debe ser individualizada y estar al margen de la que establece su madre.
— Una vez considerado necesario el establecimiento de un régimen de visitas, y considerando que desde hace año y medio no se ven, éste debe reanudarse de forma progresiva, gradual y que en principio se realicen las visitas en presencia de la madre.
— Teniendo en cuenta que no ha sido posible la resolución de este conflicto a través de la negociación y se ha tenido que recurrir a la vía judicial, sería conveniente que un técnico establezca el marco de las relaciones entre Carlota y sus abuelos, fije la periodicidad y duración de los contactos, el modo de realizar los traspasos y supervise la adaptación de la menor en el proceso.
— Los abuelos paternos representan la línea paterna y todo contacto con ellos contribuye a la representación simbólica del padre, siendo éste un punto que adquiere una especial significación en este caso al estar ausente en la vida del niño.
— Asimismo, los abuelos pueden contribuir a la construcción de una imagen paterna positiva que es indispensable para el desarrollo psicoafectivo de la menor.
— Los abuelos forman parte de la familia extensa y son una importante fuente de apoyo social; las investigaciones demuestran la importancia del apoyo social para mitigar la ansiedad en situaciones estresantes. Tras la separación se produce una situación de mayor vulnerabilidad para el menor que puede ser mitigada precisamente con el mantenimiento de los vínculos familiares.

El padre con alteraciones psicopatológicas

En una gran mayoría de casos se utilizan los antecedentes psiquiátricos previos o actuales como medida de presión para limitar o eliminar al régimen de comunicación. Al igual que comentamos en el capítulo sobre custodia, la presencia de psicopatología no significa necesariamente que no se pueda ejercer la paternidad.

Cada caso requiere un análisis del tipo y gravedad de la alteración, así como de los apoyos familiares con los que cuenta el progenitor. *Aún en el caso de que la enfermedad limite el funcionamiento del individuo, si éste cuenta con el apoyo del ex cónyuge o los abuelos, se regularán visitas supervisadas.*

Entre las circunstancias que se pueden citar de alto riesgo para el niño encontramos:

— Que la enfermedad (ansiedad o depresión) incapacite al padre para ocuparse del niño. Por ejemplo, en los casos de depresión grave, en los que el adulto permanece en cama una gran parte del tiempo y el niño pasa a cuidar del padre/madre.
— Durante las fases activas de determinadas enfermedades (trastornos maníaco-depresivos, brotes psicóticos) en los que el sujeto pierde el contacto con la realidad.
— Cuando el padre/madre se niega a seguir un tratamiento psicofarmacológico o psicoterapéutico.
— Cuando el padre/madre abusa de sustancias tóxicas como alcohol o drogas.
— Cuando el padre/madre, en ausencia de psicopatología, maltrata físicamente o psicológicamente al niño.

Estas circunstancias especiales requieren que el régimen de comunicación y visitas sea distinto al de otros padres. *Es fundamental, en primer lugar, que el padre/madre asuma que tiene un problema y esté bajo tratamiento. Si esta condición se da, se pueden estructurar visitas cortas, en presencia de algún familiar y supervisadas por especialistas.* Siempre será mejor que romper la relación del niño con su padre, que suele ser la opción más rápidamente elegida por los padres y familiares.

Es importante que *si usted se encuentra en alguna de estas circunstancias, se asesore por un psicólogo y no utilice la enfermedad mental de su ex cónyuge para romper definitivamente la relación con sus hijos.*

El padre ausente

«Alberto y Natalia se separaron hace 5 años; tienen dos hijos: Rocío, de 9 años, y Luis, de 13. La separación llegó cuando Natalia se cansó de asumir todas las responsabilidades y cargas familiares. Alberto siempre estaba fuera de casa; cada día que pasaba las ausencias eran mayores, consumía drogas sintéticas y necesitaba cada vez más dinero para su compra. Las discusiones por el dinero fueron aumentando, con el sueldo de Alberto no se podía contar, desaparecía dinero de casa y en ocasiones no iba a trabajar.

Después de la separación la relación es menos tensa y aunque hablan por teléfono cuando tienen que comunicarse algo de sus hijos, surgen intermitentemente conflictos que repercuten sobre todo en Luis. Natalia consulta al psicólogo por Luis; en la entrevista refiere como principal problema que Alberto muchos fines de semana llega a recogerlos tarde, los tiene esperando sin avisar, no cumple los días asignados durante la semana en el régimen de comunicación y visitas y en los períodos vacacionales le dice a Natalia que con su trabajo él no se puede ocupar de ellos.

Otra queja expresada por Natalia es que cuando está con ellos no se ocupa suficientemente de ellos, los deja con demasiada frecuencia con los abuelos, que se quejan de tener que ocuparse de ellos. El abuelo le recrimina a Natalia el que insista tanto en que los niños estén con su padre: "si mi hijo no se puede ocupar de ellos, ocúpate tú". Natalia experimenta un sentimiento extraño: "al contrario que otras amigas mías separadas que evitan el que sus hijos tengan contacto con el padre, yo tengo la sensación de que le intento meter a los niños por los ojos".

Alberto viene a consulta para ser informado del estudio psicológico realizado a su hijo, se le comenta la inseguridad afectiva y algunos sentimientos de abandono que aparecen en los cuestionarios. Se contrastan con él los datos aportados por Natalia, que se confirman, y su reacción es un poco defensiva justificando en todo momento su comportamiento. Justifica sus retrasos y la imposibilidad de ocuparse de los niños excusándose con el trabajo. La impresión diagnóstica es que se trata de una personalidad inmadura, con graves dificultades para asumir responsabilidades en la vida y con un elevado grado de dependencia emocional; prueba de ello es que tras la separación se ha ido a vivir con sus padres.

Luis llama en ocasiones a su madre para decirle que su padre se ha ido, o que se ha pasado la mañana durmiendo, se queja de que se aburre, varias veces ha llamado a la abuela materna para que vaya a recogerlos.

Natalia pregunta: ¿qué hago?, ¿qué le digo?, si yo sé que tiene razón, ¡es que no se ocupa de ellos!»

¿Cómo resolver esta situación? Comprobadas las conductas irresponsables de Alberto, parecería claro que la actuación tendría que centrarse en ellas, pero si sólo actuáramos en este sentido, estaríamos cometiendo bajo nuestro punto de vista algunos errores desde la óptica terapéutica. La intervención que proponemos es a tres bandas: con Alberto, con Luis y con Natalia.

Se le pregunta a Natalia si es frecuente que Luis *«pase información negativa sobre su padre o sobre las cosas que hace mal»*. Natalia se queda pensativa y afirma que sí, que protesta cuando se tiene que ir con su padre y da mil argumentos para no hacerlo utilizando este tipo de excusas. ¿Para qué hace esto Luis?, ¿por qué Luis en vez de llamar a su madre llama a la otra abuela para que le recoja? Natalia reconoce que puede haber un cierto componente manipulativo en estas conductas, y una utilización de ella, ya que precisamente recoge los argumentos que sabe que su madre comparte.

Si cuando Luis llama y dice: *«mamá, papá no se ha levantado y estamos sin desayunar»*, en vez de oír un suspiro y un silencio su madre contesta: *«¡pues chico, prepara tú el desayuno, hazlo para ti y para tu hermana!»*. No es lo mismo transmitir naturalidad que convertir la situación en anormal.

Cuando Luis llama y dice: *«papá está durmiendo y nosotros estamos aburridos»*, no es lo mismo ir a recogerlos que decirles: *«¡pues utiliza la imaginación e inventa algo para no aburrirte!»*. ¡Cuántas veces en familias intactas los niños se quejan de estar aburridos para movilizar al adulto y que éste haga algo determinado!

Luis sabe que estos argumentos son los adecuados pero porque ha captado en su madre esta queja. Desde el punto de vista psicológico el problema de Luis es que se encuentra atrapado en la «queja de su madre», que ha hecho suya para resolver algunas situaciones que le resultan incómodas. Pero al utilizar estos argumentos Luis está construyendo una imagen paterna negativa que sustenta aún más sus sentimientos de abandono. Las situaciones en sí no son normales ni anormales, somos nosotros los que les damos una significación determinada en función de nuestras experiencias.

«Lorena y Alba, de 11 y 9 años, respectivamente, se levantan muchos sábados y se preparan su desayuno solas, después pasan la mañana con el vídeo o con sus juegos hasta que su madre se levanta a las 12 h y su padre llega a las 14 h porque ambos trabajan por las noches.»

¿Cuál es la diferencia entre estas dos situaciones? En el primer caso la pareja rota necesita buscar un culpable y en el segundo caso se viven los mismos hechos pero no se intentan solucionar las quejas de los niños buscando responsables.

Una función importante de Natalia con sus respuestas sería fomentar la autosuficiencia en sus hijos y no la dependencia, adaptarse a la situación que viven del modo más sano posible. Hay un componente real en las conductas de Alberto de irresponsabilidad, pero en la medida de lo posible Natalia debería amortiguarlo y no dañar su imagen.

Cuando Luis se queja de que sus abuelos protestan porque ellos están allí le comentamos a su madre que le diga: *«no hay otra posibilidad, el día en que has de estar en casa de tus abuelos te quedarás allí; tienes dos opciones: seguir quejándote o buscar la forma de entretenerte allí».* Para dos personas mayores puede ser molesto tener a un nieto deambulando sin parar por la casa, que no se entretiene con nada y que además no tiene intención de intentar adaptarse a esta situación. Hasta ahora lo que Luis ha hecho es crear unas relaciones con sus abuelos de discordia, para justificar que él no desea estar allí. Si Luis se ve forzado, porque ve que no hay otra alternativa, tendrá que aprender a «ganarse» a sus abuelos y no hacer tan desagradable su estancia. Él los provoca para que se quejen; de este modo, su excusa es que sus abuelos protestan de él.

No hay que olvidar que es precisa la intervención con Alberto. El psicólogo debe informar sobre las graves consecuencias que su comportamiento tiene en Luis y en su hermana, e intentar la implicación en el cambio. Cumplir el régimen estrictamente, no llegar tarde, no hacer cambios imprevistos y no delegar tanto en los abuelos son algunas de las conductas que Alberto tiene que cambiar. Es preciso una mayor implicación afectiva y física de Alberto y una reflexión sobre su irresponsabilidad.

Ante situaciones en que uno de los progenitores se queja de la falta de implicación del otro, la reacción más frecuente con el tiempo suele ser desistir.

Pero *ante esta reacción de pasividad lo mejor es no desistir,* en ninguna otra situación se necesita más perseverancia que en ésta. La función del padre/madre custodio es fundamental, ha de hacer todo lo posible por hacer presente a su hijo en la vida del ex. Debe seguir manteniendo contacto con los familiares más allegados de la otra rama, enviarles fotos, mantener contacto telefónico, seguir invitándoles a fiestas de cumpleaños, santos u otros acontecimientos relevantes en la vida del niño. Estas mismas actitudes deben mantenerse con el ex, notificarle todo lo relativo a su evolución escolar, notas, actividades extracurriculares y seguir implicándole en la evolución de su hijo. Se puede hablar con los profesores para que éstos se dirijan al padre directamente y le comuniquen las reuniones del centro. Hay que favorecer la comunicación directa entre las personas involucradas en la educación del niño y el padre, es mejor que la madre no haga de intermediaria. Es positivo comunicar al padre los sentimientos de afecto y cariño del hijo, procurar que el niño felicite y haga regalos a su padre, es más fácil remover los sentimientos de padre con estas actitudes que con la indiferencia.

Sin embargo, la reacción más fácil suele ser desistir y posicionarse en la crítica negativa y la devaluación del padre. A su vez, esta situación sirve de excusa a las personalidades inmaduras para justificar su falta de implicación. El resultado es que poco a poco el distanciamiento entre padre e hijo se hace mayor y finalmente la relación es inexistente. En la mayor parte de los casos en los que las madres no desisten, logran una implicación mucho mayor que las que no lo intentan.

El padre que se niega a la relación con el hijo

Agotados todos los intentos de implicar al padre y ante la verbalización explicíta: *«no quiero saber nada de mi hijo»,* se le informará de la necesidad de privarle de la patria potestad. *Se le hará saber que como padre pierde todos los derechos legales sobre su hijo ante su deseo grave de incumplir con las responsabilidades inherentes a su rol parental. Es aconsejable dejarle un tiempo después de esta información para que finalmente tome una decisión.*

Si nada cambia con respecto a su decisión, se le pedirá una última responsabilidad: que se despida de su hijo y que le comunique su incapacidad de hacerse cargo de él.

Es conveniente que la madre se ponga en contacto con un psicólogo que valorará la situación, el nivel evolutivo del niño y su capacidad de comprensión. Se asesorará a la madre sobre el mejor modo de afrontar este hecho y qué comunicar a su hijo. *Es preciso aclarar al niño que su concepción fue deseada pero que su padre no puede seguir cumpliendo sus funciones. Hay que evitar decir al niño: «tu padre no te quiere»; la madre explicará que por problemas que ella desconoce, su padre ha decidido no saber de él. Es conveniente hablar de la incapacidad del padre de ocuparse de él y no de la negativa a quererlo.*

Estas explicaciones tienen por objetivo introducir criterios de realidad y no mantener al niño con explicaciones falsas. Este tipo de explicaciones que los adultos dan para mitigar el dolor, a la larga tienen gravísimas consecuencias. Aunque la realidad es tremendamente dolorosa, el niño tiene que asumirla e integrarla. *Será preciso que elabore el duelo por la ausencia paterna, que llore, que se enfade, que exprese su rabia, frustración, decepción, todos los sentimientos deben aflorar.*

Algunos autores hablan de los efectos latentes o dormidos de la separación que eclosionan con gran fuerza en la adolescencia. La intensidad de ellos y su significación patológica será mayor si no se aborda de un modo adecuado esta situación. *El silencio del niño no significa que haya aceptado y entendido la situación; por el contrario, alerta de que algo va mal.*

El apoyo emocional de la madre y otros familiares es fundamental. Si la familia de origen no se niega a romper las relaciones con el niño, se deben mantener. El tono con el que la madre comunique a su hijo lo anteriormente explicitado debe ser cálido. Ahora más que nunca, la madre debe evitar cualquier intento de descargar su rabia. Debe preguntar a su hijo sobre lo que siente y acompañarle en su dolor, expresar ella cuánto siente lo sucedido y lo ajeno que es su padre al dolor que causa.

La ausencia paterna debe ser compensada con la presencia de otras figuras masculinas. La madre ha de intentar que los hombres estén presentes en la vida del niño/a, que pueda establecer relaciones satisfactorias con otras figuras que le sirvan de modelo. Las repercusiones que en las niñas tienen estas situaciones se observan en la adolescencia. Cuando son adultas se relacionan con los hombres con desconfianza y recelo y tienen enormes dificultades para sentirse queridas por un hombre. Hemos descrito la situación de la ausencia paterna, pero ante la ausencia materna deben seguirse las mismas recomendaciones, ya que sus efectos son similares.

El padre/madre que muere

Aunque los efectos del padre ausente puedan entenderse que son similares a los ocasionados por la muerte del padre, nada más lejos de la realidad. Si el niño conoció a su padre y tuvo relación, siempre estará alimentado por las experiencias compartidas con él. Siempre tendrá una imagen paterna, un ideal y la seguridad de haberse sentido querido y de que él era importante para una persona a la que necesitaba: su padre. En los casos en los que el niño no llegó a conocer a su padre, siempre sabrá que la ausencia del vínculo no fue deseado por su padre. Además, en estos casos, suele construirse una imagen paterna positiva apoyada en las verbalizaciones de la familia y esta imagen funcionará como referente en la vida del niño.

Cuando el padre muere el niño no debe ser apartado del entorno familiar. Hay familias que alejan al niño durante unos días de todo cuanto sucede. Este alejamiento impedirá al niño superar la muerte de su padre/madre.

Es conveniente informar al niño sobre la verdad de lo sucedido, *deben evitarse las mentiras y los engaños.* La explicación de *«papá está de viaje»* no es conveniente porque fomenta la fantasía de su vuelta y sitúa al niño en una espera ansiosa que nunca termina. Tampoco es conveniente decir que *«papá está en el cielo y desde allí te ve»,* porque crea en el niño la sensación de sentirse observado y vigilado en todo momento. Cuando el niño hace una trastada se siente muy culpable al pensar que su padre siempre se entera de todo.

Es conveniente que el niño asista a los acontecimientos de despedida, esta experiencia puede ayudarle a comprender la realidad de la muerte. Es bueno hablar con el niño de los recuerdos pasados, de las experiencias vividas con el padre/madre. *Lo más difícil será que el padre/madre empatize con los sentimientos positivos del niño hacia una persona de la que está divorciada.*

Es importante hacer que el niño hable, que llore, que exprese su dolor, evitar frases como: *«no llores más», «tienes que ser fuerte», «los niños no lloran»*. Mantener vivos los recuerdos será tarea difícil, pero ver el álbum de fotos del tiempo en que estuvieron juntos o fotos posteriores ayudará al niño. La principal tarea del progenitor será separar los recuerdos de pareja de los de padre/madre.

El padre en la cárcel

Carta Europea de los Derechos del Niño

8.15. Todo niño cuyos padres o uno de los padres, se encuentren cumpliendo una pena de privación de libertad, deberá poder mantener con los mismos los contactos adecuados. Los niños de corta edad que conviven con sus madres en las cárceles deberán poder contar con las infraestructuras y cuidados oportunos. Los estados miembros deberán garantizar a estos niños su escolarización fuera del ámbito carcelario.

La ausencia de vínculo genera un vacío en el niño difícil de llenar. Aun cuando el padre esté en la cárcel hay que valorar de qué modo se puede mantener la máxima continuidad en la relación paternofilial.

En la mayoría de los casos en que esto sucede suelen darse distintas reacciones:

- La familia no habla de ello, no se nombra al padre y éste se convierte en una figura tabú.
- Se verbaliza lo malo que es el padre y que por eso está en la cárcel.

— Se minimiza la importancia del hecho con frases como: *«tampoco es para tanto»*.
— Se intenta impedir todo contacto entre el niño y el padre.

Todas estas reacciones ocasionan problemas en los hijos. El niño debe saber que su padre está en la cárcel. Pero la cárcel no es el lugar «donde están los malos», es el lugar al que van las personas que se han equivocado o no han seguido las normas que la sociedad tiene. *Es importante entender que el que una persona esté en la cárcel no necesariamente significa que sea un mal padre o que no quiera a su hijo.* Muchos hombres pueden delinquir, pero siguen siendo buenos padres y quieren a sus hijos, son hechos totalmente distintos.

Las repercusiones de este hecho sobre el niño dependerán de la madurez de la madre para manejarse ante esta situación. El modo en que se dicen las cosas, el tono, es decir, el clima afectivo, serán decisivos. Lo que transmita al niño será determinante en el modo en que el niño se posicione con su padre. La familia también tiene una importante función que cumplir, puede ser una importante fuente de apoyo emocional. La familia materna ha de seguir todas estas directrices y favorecer el contacto del niño con la familia paterna.

Aunque también es fundamental que el padre que se encuentra en esta situación hable a su hijo del error cometido para evitar el efecto del modelado. Quitar importancia al comportamiento paterno no hace sino confundir al niño sobre una realidad que no es justificable. Si el niño capta que el entorno le quita importancia o no se le explica que ha sido un error, posiblemente interiorizará el modelo del padre y le copiará.

Es negativo utilizar la estancia del padre en la cárcel como argumento justificativo para eliminar cualquier relación entre el padre y el hijo. Tampoco es conveniente excusarse en este hecho para devaluar la imagen paterna. Debe positivarse al máximo la figura del padre y aclarar que por el hecho de estar en la cárcel no es una persona peligrosa y que no le hará daño.

Al objeto de fomentar al máximo posible las relaciones entre padres e hijos, las instituciones penitenciarias deberían contar con aulas específicas para estos encuentros, aulas acondicionadas con material didáctico y juegos. Deben aprovecharse las salidas condicionales del padre para que el niño pueda ver y estar con él. Durante su estancia carcelaria las cartas o cualquier otro medio de comunicación deben potenciarse.

Estas argumentaciones excluyen los casos de abuso sexual o de maltrato físico o psicológico que requieren de otro tipo de intervención. También queremos precisar que en otras situaciones o con otros determinantes, cada caso debe someterse a la evaluación del psicólogo, que será quien determine las circunstancias más aconsejables para el menor.

11 La adaptación en una segunda familia

Cuando el padre/la madre tiene una nueva pareja

Después de la separación se necesita tiempo para adaptarse a la nueva situación; naturalmente, el tiempo que cada uno necesita puede ser muy variable y dependerá de muchos factores, pero la mayor parte de los profesionales fijan este intervalo de tiempo entre uno y tres años.

Superada la crisis e incluso antes, algunas personas establecen una nueva relación de pareja. Algunos consultan al no saber si es algo que deben conocer sus hijos o sobre el mejor modo de decírselo. Muchos padres temen el rechazo y la oposición de éstos.

Establecer una relación de pareja es algo que sólo compete al adulto; por tanto, no debe pedírsele opinión al niño sobre tal cuestión. Muchos padres preguntan a sus hijos: *«¿qué te parecería que mamá tuviese un nuevo novio?», «¿quieres que Ana sea mi novia?».* Este tipo de preguntas transmiten al niño que es un tema sobre el cual él puede opinar, y no hacemos sino confundirlo si le hacemos creer que su criterio puede ser determinante. Al igual que no se le pide opinión sobre los gastos económicos porque no es un tema de su competencia, tampoco lo es el que su padre/madre tengan pareja. *No hay que pedir permiso a los hijos para establecer nuevas relaciones, ni esperar a que éstos den su autorización.*

Cuando el niño/a capta que su opinión cuenta, puede actuar de forma manipuladora para conseguir que su padre/madre rompa esa relación.

«Cristina sale con un hombre desde hace un año; su hija Paula, de trece años, ya le ha expresado abiertamente su oposición. En una ocasión, su madre lo invitó a cenar y ella escondió las bebidas de la cena. Cuando él llega a casa, ella se va a casa de su abuela. Paula se enfada cuando su madre sale los sábados por la noche; en ocasiones, Cristina no ha salido ante la presión de Paula, se ha quedado en casa y ha cedido a sus chantajes.»

Es precisamente la actitud insegura de Cristina la que alienta todos estos comportamientos, porque intenta razonar, explicar y convencer a su hija. Hay situaciones en las que los padres no tienen que dar excesivas explicaciones a los hijos. Madre e hija han invertido la relación de autoridad; Paula se siente con autoridad sobre su madre y ejerce un papel controlador porque a veces ha conseguido que su madre ceda. La mejor actitud de un adulto ante esta situación sería: firmeza, no ceder a sus presiones, marcar límites al comportamiento del hijo, no permitir chantajes y dialogar sobre los temores que la presencia de esta persona le despiertan.

La mejor forma de decirle a un hijo que se mantiene una relación es siendo fiel a la verdad: «Papá/mamá tiene una nueva pareja». Es importante el tono en el que se dice, que debe ser firme y seguro, no titubear, ni mostrarse expectante por ver si el niño aprueba o desaprueba la relación. Si la reacción del niño es negativa, el padre ha de intentar dialogar, pero nunca romper la relación

El temor principal del niño es pasar a un segundo plano, temor a perder afecto, atención, disponibilidad; por eso, es fundamental hablar con él y garantizarle que nada de eso va a suceder.

«Papá, ¿por qué me sienta tan mal que te llame tu novia? —le pregunta Víctor de siete años a su padre—. *No me gusta, no sé por qué, pero me siento incómodo.»*

Algunos niños piensan que aceptar al novio de mamá o a la novia de papá supone traicionar a su madre o a su padre. Temen herirlos si muestran agrado por esta nueva persona, y es entonces cuando el niño se encuentra ante un conflicto de lealtad. Algunos padres no se preocupan por aclarar estos sentimientos, incluso se muestran claramente hostiles y agresivos con la nueva pareja; no dan permiso psicológico a sus hijos para que mantengan una buena relación con esta persona. Es necesario hablar con el hijo de esta situación, transmitir que se acepta a esa nueva pareja. Es importante que el niño no se sienta culpable de establecer una relación positiva con otra persona y aclararle que no traiciona ni decepciona a nadie.

Para el niño, la existencia de la nueva pareja supone:

— La renuncia a la fantasía de la reunificación.
— El temor a ser desplazado a un segundo plano e inseguridad afectiva.
— La adaptación a una nueva estructura familiar, sobre todo si se aportan más hijos.
— Experimentar la presión de «tener que querer» a la nueva pareja y a sus hijos.
— Establecer nuevas relaciones con los familiares de segundo grado del nuevo cónyuge.
— La posibilidad de cambiar de colegio, de barrio, de amigos...

Son muchos los cambios que la nueva pareja puede suponer, y el niño necesitará tiempo para adaptarse y el máximo apoyo por parte de sus padres.

Por el contrario, si después de la ruptura no se busca una relación estable y se cambia con frecuencia de compañía, no es bueno informar al niño ni presentar a todas las parejas. Esta situación genera confusión en el niño; si uno tiene una relación con dudas sobre su estabilidad, es preferible esperar y cuando se esté seguro de la continuidad de dicha relación, entonces, se le comunica al hijo.

La nueva pareja en la vida del niño

Aunque aparezcan nuevas figuras en la vida del niño, los términos papá y mamá se reservarán siempre a los padres biológicos; es obvio que *la nueva pareja no viene a sustituir al padre/madre,* y es conveniente hablar y aclarar esto al niño.

Se necesita de una gran madurez para aceptar que el niño establecerá vínculos afectivos con otras personas de su entorno. El amor no debe ser posesivo y debe implicar dar libertad al niño para que pueda amar y vincularse a otras personas. No obstante, son muchas las personas que atosigan al hijo con preguntas como: *«¿te trata bien?», «¿te gusta cómo te prepara la leche?», «¿quién te hace mejor los espaguetis, él/ella o yo?»*. De nuevo estas preguntas vuelven a ser un arma de doble filo, pues es evidente que quien hace este tipo de preguntas es porque necesita compararse. El niño sabe muy bien que su respuesta puede ser arriesgada y que este tipo de preguntas traduce el malestar de su padre/madre, con lo cual capta que la nueva situación no es algo natural.

La nueva pareja también puede despertar rivalidad y competitividad entre los adultos. El padre/madre puede sentirse inseguro y temer que esa nueva persona le desplace. Puede temer que el niño quiera más a la otra persona, y el adulto se defiende ante estos sentimientos con argumentos como: *«esa persona no me gusta porque no se ocupa bien de mi hijo»*. Se llega a una dinámica relacional conflictiva y con el tiempo el niño evitará hablar de la otra persona para no enfrentarse a preguntas comprometidas; por el contrario, si «cae en alianza» con su padre/madre, dará las respuestas que sepa que van a agradar.

«Mi madre me pregunta sobre María José; María José es la novia de mi padre. Mi madre dice que María José no me quiere y quiere saber lo que me hace... Yo le cuento cosas de ella a mi madre, porque me cae mal. Ella es envidiosa, no me deja quedarme a ver la televisión por las noches y tengo que comerme sus asquerosas comidas.»

Mati tiene 5 años, y desde esta posición va a boicotear la relación con María José; su madre no contribuye a que pueda tener una buena relación con ella y menoscaba su imagen. Mati no puede desagradar a su madre y le alimenta con comentarios negativos, pero también presiona a su padre para que deje a María José.

«No me gusta que mi papá tenga novia. No me gusta la novia de mi padre, no me cae bien; hoy le he dicho: "como esté ella cuando yo vuelva, te vas a enterar, no voy a ir más contigo". Le he dicho que se separen.»

La actitud de María José es fundamental: ha de ser perseverante y seguir tratando bien a Mati, sus desplantes no deben hacerle perder la calma. Si, por el contrario, se distancia o se enfada, Mati tendrá las pruebas de la maldad de su madrastra.

No hay ningún problema en que una persona nueva pase a formar parte de la vida del hijo. Pero debe hacerse de forma progresiva de tal modo que se le permita al niño ir acomodándose a los nuevos cambios, al tiempo que esa persona nueva aprende las rutinas que están presentes en la vida del niño. Algunos padres intentan imponer la nueva relación exigiendo al niño que exprese afecto y demuestre la misma intensidad de sentimientos que ellos como adultos experimentan. Esto es un error; la persona que aparece nueva en la vida del niño tendrá que «ganarse afectivamente al menor», pero esto sólo se consigue sin presionar al niño y dándole tiempo.

Algunos padres «pierden los papeles» cuando el niño expresa su rechazo a la nueva pareja y reaccionan en contra del hijo. Esto es precisamente lo que no debe hacerse porque confirma el temor del niño: *«mi padre la prefiere a ella antes que a mí».*

Papá, mamá, ¿a quién quieres más, a tu novio/a o a mí?

La aparición de una nueva pareja despierta rivalidad, celos e inseguridad. El niño teme perder el cariño o le resulta difícil compartir a su padre/madre con otra persona. Ante esta situación de peligro pone en marcha todas las estrategias que conoce para mantener el control de la situación e impedir que las cosas cambien. La mejor forma de hacer frente a esta situación es atender las necesidades afectivas del niño sin ceder a sus comportamientos manipuladores. Hay que dejarle claro al niño que a él se le quiere como hijo y a la otra persona como pareja, y que son amores distintos. Muchos niños, al establecer una relación de competencia con la nueva pareja, preguntan a sus madres/padres: *«pero ¿a quién quieres más?».*

Si ante esta pregunta la madre contesta: *«a ti, hijo»,* entonces se ha sentado la base de una eterna rivalidad. El niño pensará que siempre tendrá que hacer algo para ocupar ese primer puesto, siempre tendrá un rival con quien competir; esto le llevará a «medir» las manifestaciones cariñosas de sus padres y necesitará asegurarse el primer puesto en el podio. Por eso, una forma de cortar esta rivalidad es aclararle desde el principio que no hay un podio, que no tiene que hacer nada especial, que a él siempre se le querrá y que el cariño y el amor hacia la otra persona es distinto, ni mayor ni menor.

Las segundas nupcias con hijos

La incidencia del divorcio en parejas en segundas nupcias que a su vez aportan hijos de su relación anterior es del 50 por 100 (Tzeng y Mare, 1995). La ruptura suele producirse durante los dos primeros años de matrimonio (Lawton y Sanders, 1994). La mayor parte de las parejas que contraen segundas nupcias con hijos comentan la complejidad de las nuevas relaciones familiares. Muchos de los conflictos se originan por:

— El reparto de funciones educativas y la aceptación por parte de los hijos de las funciones de autoridad de los nuevos cónyuges.
— El comportamiento de los hijos y las diferentes actitudes de la pareja para enfrentarse a ellos.
— Las relaciones con las antiguas parejas.
— La rivalidad que surge entre los hijos, con las figuras parentales y con los hermanastros.

Cuando el progenitor con quien vive el niño no acepta las funciones educativas que se atribuye su nuevo cónyuge, el niño lo capta y no acepta sus actuaciones. Si el padrastro o madrastra recrimina o emite un juicio, el niño lo rechazará porque sabe que su propio padre o madre le niega esa función. *Esto sólo es posible resolverlo cuando se le dice al niño: «tu padrastro o madrastra también tiene la responsabilidad de educarte» y se acompaña de actitudes en las que se apoya el ejercicio de su autoridad como figura educativa.*

Por ejemplo, si en algún momento reprende al niño por su comportamiento, el padre o la madre deberá transmitir que está de acuerdo, apoyar verbalmente e incluso salir de la habitación y dejarlos solos. Hay que dejar bien claro su rol educativo, cualquier ambigüedad favorece el negativismo en el niño.

El problema se agrava cuando no se aceptan las funciones educativas del nuevo cónyuge por discrepancias en las actitudes y criterios a seguir. Entonces se genera una dinámica de oposición en la que el niño queda en medio, y las probabilidades de que desarrolle algún problema comportamental son altísimas. En esta situación son muchos los progenitores que le dicen a su pareja: *«no te metas, que no es tu hijo»;* al desautorizarlo, el hijo siente que siempre va a estar protegido, tenga o no razón.

Al igual que ocurre en cualquier familia, las discusiones estarán presentes. *Hay una frase que toda nueva pareja tiene que estar preparada para escuchar: «¡quieres más a tu hijo que a mí!»* La reacción ante este comentario no ha de ser ni el enfado ni el reproche; tampoco es aconsejable desmentir el comentario, porque uno perderá credibilidad. Los sentimientos no deben recriminarse, sino que debe permitirse su expresión aunque sea doloroso para el adulto. Esta afirmación puede ser cierta: tan absurdo es pretender que el niño quiera a su padrastro o madrastra porque su padre le quiera como tener la expectativa de que éste querrá a los hijos de su pareja como si fueran suyos desde el primer momento. Por eso es mucho mejor contestar: *«¡tienes razón, a ti acabo de conocerte y a mi hijo lo conozco desde que nació, pero espero que tú y yo algún día también nos queramos».*

También pueden surgir reproches como: *«¡A tu hijo nunca le castigas; sin embargo, a mí siempre me estás gritando y castigando».* Ante estos comentarios siempre es importante la reflexión, hay que preguntarse ¿qué estoy haciendo para que él piense esto? Si uno no encuentra la respuesta, ha de estar dispuesto a oírla. Los sentimientos del otro hay que escucharlos y no minimizarlos por el hecho de que sean de un niño. Es importante establecer diálogo, estar dispuesto a pedir disculpas y cambiar aspectos del comportamiento que hayan sido recriminados. No hay que perder nunca la equidad en el trato, los criterios de disciplina han de ser similares y evitar cualquier trato de favor.

Cuando uno de los progenitores contrae nuevas nupcias, puede pensar: ¡ahora sí que vamos a tener una familia normal! Guiado por este sentimiento puede tener la tentación de borrar todo cuanto sucedió anteriormente. La necesidad de crear una nueva familia y eliminar lazos con el pasado puede acrecentar el deseo de interferir el régimen de comunicación al ex. Su presencia puede ser ahora más dolorosa que nunca. Al mismo tiempo, la nueva pareja puede «temer la presencia» del ex y sentir celos y no apoyar la relación de los niños con el padre no custodio. Si usted se encuentra en esta situación, piense en lo que su hijo necesita y anteponga las necesidades del niño a sus deseos.

12 Separación, mediación y ámbito jurídico

El psicólogo en los procesos de separación y divorcio

La intervención psicológica en los procesos de separación y divorcio tiene como objetivo prioritario ayudar a la disminución del conflicto, educar a los progenitores y facilitar las relaciones paternofiliales, actuando en base a los intereses de los menores.

Serafín Martín (1993) señala los siguientes puntos sobre las *funciones del psicólogo en los procesos de separación,* aplicable desde nuestro punto de vista, tanto a los psicólogos de los juzgados como a los que se dedican al ejercicio privado o público de la profesión.

— Favorecer las informaciones y comunicaciones entre padres e hijos sobre la separación y sobre los planes y expectativas de futuro para éstos, a fin de que el futuro sea más previsible para los menores y menos generador de incertidumbres.

— Ayudar a los hijos a entender, comprender y soportar mejor los cambios que acontecen.

— Apoyar y fomentar las actitudes y conductas de autonomía e independencia de los hijos frente a los conflictos conyugales.

— Disminuir los riesgos de las alianzas entre un padre y unos hijos dirigidos a enfrentarlos con el otro padre.

— Ayudar a diferenciar y esclarecer qué tensiones conyugales se hallan más allá de los hijos pero suelen expresarse a través de ellos.
— Favorecer los comportamientos de tolerancia a las separaciones parciales entre padres e hijos.
— Ayudar a los padres a entender como normales y a soportar las expresiones de contrariedad, rabia, etc., de los hijos asociadas a la separación.
— Promover comportamientos más flexibles sobre las horas y fechas de estancia con los no custodios.
— Ayudar a evitar la delegación que realizan en los menores para que éstos asuman la decisión de con quién convivir, cómo planificar las visitas, etc.

Es fundamental transmitir a los padres que aunque ellos se separen como pareja, no se separan como padres; ayudar a entender que los hijos no son propiedad del padre o de la madre, sino que les necesitan en todas sus facetas de desarrollo a ambos, por lo que es prioritario que solucionen sus conflictos para poder ayudar a sus hijos.

En definitiva, nuestro trabajo debería ir más encaminado a facilitar las redes de comunicación rotas, a superar los malos entendimientos, así como las imágenes negativas introyectadas de un progenitor en un menor, para de esta manera facilitar el crecimiento y superación satisfactorias del conflicto. No debemos dejarnos atrapar por la seguridad de las bondades y verdades de una sola parte, reforzando con nuestra intervención esos posicionamientos radicales, y ayudando por tanto a acrecentar el conflicto y que los hijos queden atrapados en el interior de las desavenencias (Catalán Frías, M. J., 1999).

Para poder realizar el ejercicio profesional en la línea de todo lo que estamos planteando es estrictamente necesario, por una parte, que el psicólogo conozca y aplique en su hacer profesional el Código Deontológico del Psicólogo, y por otra, que resuelva sus prejuicios personales y sociales, realizando su trabajo desde la imparcialidad.

Como profesionales, no podemos basar nuestra valoración psicológica en primeras impresiones; tampoco podemos plantear a priori que los niños están mejor atendidos por la madre o considerar que el papel del padre es menos necesario que el de la madre, o que el niño a partir de determinada edad no necesita a uno de los progenitores.

Consideramos de extrema gravedad que el psicólogo en el ejercicio de su trabajo, en el ámbito que nos ocupa, se posicione de parte de un progenitor o se preste a manipulaciones por parte de los abogados.

«Un padre acude a consulta pidiendo una valoración psicológica de su hijo varón de 9 años de edad. Se encuentra en una situación de conflicto de pareja y quiere pedir la custodia de su hijo. Pide que se le cite a su hijo en los días que él le recoge, puesto que no quiere que se entere su ex mujer de que le ha llevado al psicólogo. A los pocos días llama su abogado indicando al psicólogo qué es lo que él necesita que se ponga en el informe psicológico.»

Aquí hay dos importantes errores en la petición hecha al profesional de la psicología. Por una parte, el profesional tiene que aclarar al padre que la madre tiene que estar informada de la petición que está realizando y que en el curso de las sesiones diagnósticas se le incluirá también a ella en el estudio. Por otra parte, el psicólogo tiene que aclarar al abogado que el informe psicológico recogerá los resultados y conclusiones, sean favorables o no a quien realiza la petición.

La mediación familiar en los procesos de separación y divorcio

Los datos revisados, y la experiencia de todos los profesionales que trabajamos en los procesos de separación y divorcio, muestran que los procedimientos judiciales suelen avivar las discordias entre los cónyuges, tendiendo a hacer crónicos los conflictos más que a resolverlos. Frecuentemente, en los procesos legales se establece un círculo vicioso en la lucha establecida por los ex cónyuges para intentar llegar a acuerdos, con un enorme derroche de tiempo, dinero y conflictos que trascienden a los hijos.

Es difícil que se encuentren soluciones equitativas en los tribunales ni que se atenúen las tensiones entre los ex cónyuges. En la lógica legal existe siempre un vencedor y un vencido; por tanto, se establece una relación que no puede sino perjudicar la futura colaboración como progenitores.

Puesto que las separaciones judiciales y las estrategias que adoptan los abogados aumentan la hostilidad, la desconfianza y, en general, el sentimiento de impotencia, obstaculizando el diálogo directo entre los ex cónyuges, en muchos países han surgido grupos de *mediación familiar,* con el objetivo de reducir el conflicto entre los ex cónyuges.

Hacia finales de los años setenta, distintos profesionales del ámbito de la salud mental y varios profesionales de la abogacía comenzaron a cuestionar las «guerras» de separación que se libraban en los tribunales y en los gabinetes jurídicos. Por otra parte, el concepto de separación va evolucionando; la separación comienza a ser entendida cada vez menos como el acontecimiento final de una relación, y más como un proceso que conduce a la reorganización de los vínculos familiares. Todo ello puso de manifiesto la *necesidad de colaboración entre los ex cónyuges a favor de los hijos.*

Había llegado la hora de terminar con la búsqueda de un culpable en una pareja que quiere separarse, como sucede en el ámbito judicial, y buscar el camino para satisfacer las necesidades del grupo familiar. *Se proponen nuevos métodos para tratar las crisis de transformación familiar.*

La mediación familiar tiene como objetivo reabrir el diálogo entre los ex cónyuges para crear un ambiente de colaboración, que por lo general el ámbito jurídico impide.

A través de la intervención de un tercero neutral, que preserva el equilibrio entre ambas partes, la mediación busca que ambos miembros de la pareja asuman las decisiones que les conciernen.

«La Mediación es un proceso de resolución y manejo de conflicto que devuelve a las partes la responsabilidad de tomar sus propias decisiones en relación con sus vidas» (Folberg y Milne, 1988).

La mediación familiar está regida por una lógica opuesta a la que regula los procesos judiciales. En primer lugar, se desarrolla en un ambiente tranquilo, con características muy diferentes de las salas de los tribunales o el despacho de abogado. En segundo lugar, el mediador es una persona que ambos cónyuges han elegido y confían en ella, mientras que el juez es un desconocido designado de oficio. Por último, durante la mediación, ambos interesados reciben la misma información, mientras que en los procesos legales cada uno de ellos mantiene conversaciones privadas con su abogado y, por tanto, no sabe qué ha hablado el otro cónyuge con el suyo.

En la metodología de trabajo se establece una línea de colaboración entre el psicólogo y el abogado de tal manera que, mediante la aportación de los conocimientos específicos de cada profesional, se ayude al matrimonio que se separa a tomar las decisiones necesarias en el proceso. El psicólogo interviene facilitando la comunicación y la toma de decisiones entre los miembros de la pareja, y el abogado asesorando sobre los aspectos legales implicados en el proceso.

Sensibilización del ámbito judicial ante la separación

Es importante mediar entre la cultura jurídica y psicológica si se quiere ayudar a la pareja en el proceso de separación legal; todo ello repercutiría inevitablemente en beneficio del menor.

Es necesario que el abogado, en este tipo de procedimientos, supere su rol tradicional y pase a ser más conciliador entre las partes, recordándoles la importancia de la función paterna y propiciando una actitud de colaboración entre ambos.

Actualmente, en la mayoría de los casos, los abogados tratan de proteger a su cliente, el cónyuge; mientras los psicólogos actúan en base a los intereses de los menores.

En las disputas familiares el abogado no debe alentar una actitud beligerante, que exija un vencedor y un vencido, sino la búsqueda de un acuerdo común. Deben evitarse frases que destaquen la idea de contienda y expresiones como «adversario», «ganar», «enfrentamiento».

El abogado debería evitar opiniones propias que acentúen los conflictos de pareja. Debería abstenerse de emitir sus propios juicios sobre el comportamiento del otro cónyuge, y tener en cuenta el efecto que sus comentarios causan en el ex cónyuge.

El abogado debería disminuir la desconfianza y la sospecha entre la ex pareja, y alentarlos desde el comienzo a que sean claros en sus relaciones y sinceros al suministrar información.

En conclusión, consideramos muy importante que los abogados sean conscientes de la responsabilidad que tienen en los procesos de separación y divorcio, y por consiguiente, que conozcan el alcance y el daño emocional que sus actuaciones y decisiones pueden tener si se actúa pensando exclusivamente en «ganar» el caso.

Es muy importante que se considere a la familia como un sistema en el cual no se puede penalizar a un miembro sin que el castigo repercuta en todos los demás. Con mucha frecuencia, una victoria en el ámbito jurídico no se considera como tal desde el punto de vista psicológico. Si hay un padre o una madre que «pierde», inevitablemente el menor también pierde.

Reflexiones en el ámbito de la psicología jurídica

La mayor parte de los profesionales que trabajan en este ámbito plantean la necesidad de cambios legislativos que protejan al menor. Algunas de estas iniciativas legales (Ramírez, 1992) que beneficiarían desde el punto de vista psicológico serían:

— Protección de los datos de la evaluación psicológica realizada a los menores, de tal modo que aquellos que pueden considerarse potencialmente lesivos puedan tener carácter reservado y no ser accesibles a las partes.
— Garantizar la consecución real o ejecución de las medidas recomendadas y acordadas en beneficio del menor.
— Formalizar la cooperación de determinados recursos sociales con la instancia judicial, o en su defecto, crear instancias independientes que colaboren en la ejecución de las medidas judiciales.
— Articular mecanismos que garanticen el pago de las pensiones alimenticias.

— Ampliar el abanico de fórmulas disponibles de custodia y régimen de visitas. Las custodias conjuntas o alternativas podrían ser orientaciones adecuadas en muchos casos de estar contempladas en nuestra legislación.
— La posibilidad de que a partir de una determinada edad el juez comunique directamente a los hijos las medidas acordadas, si se han visto involucrados en el proceso. El juez trataría de explicar por qué las medidas han sido consideradas «como lo mejor» o «lo menos malo».

A estas propuestas añadimos:

1. *La necesidad de que las sentencias de adjudicación de custodia sean sometidas a un seguimiento y evaluación.* El seguimiento realizado por técnicos especialistas permitirá valorar los efectos que en los menores han tenido las medidas adoptadas. El saberse sometido a evaluación evita posicionamientos rígidos en aquel que tiene asignada la custodia. La evaluación permitirá detectar todas las situaciones que supongan un riesgo desde el punto de vista psicológico para el menor.
2. *El seguimiento y evaluación psicológica del menor ante el régimen de comunicación y visitas acordado.* Esta medida permitirá garantizar al menor la continuidad de la relación con el progenitor discontinuo, y es una medida de protección de los derechos del menor. El seguimiento permitirá introducir cambios en función de criterios que evolucionan con el tiempo y las necesidades del niño y de los padres. De este modo, se evita que cualquier modificación a las medidas adoptadas pase inevitablemente por el conflicto judicial. Es necesario transmitir a los progenitores que tanto la asignación de la custodia como el régimen de comunicación tienen carácter temporal, y estas decisiones han de revisarse periódicamente para atender mejor las necesidades del menor.
3. *Garantizar al menor la implicación de los padres en un tratamiento psicológico.* Este supuesto sería para el caso de que los técnicos detectan actitudes o comportamientos pater-

nos/maternos que ponen en riesgo la estabilidad psicológica de los menores o propician el desarrollo de indicadores psicopatológicos. Muchos padres tan sólo buscan en el perito psicológico un informe que les «favorezca». Este informe les servirá para «ganar la batalla judicial», y una vez conseguido, no están dispuestos a ser asesorados, ni mucho menos a seguir un tratamiento psicológico. «Ganada la batalla», el progenitor se atrinchera en su posición y obstaculiza e interfiere el normal desenvolvimiento de las relaciones entre el hijo y el progenitor ausente; de este modo, las resoluciones judiciales dejan sin resolver la grave problemática psicológica de los menores. Los progenitores deben saber que la asignación de la custodia está condicionada al cumplimiento de las pautas aportadas por el profesional. Si uno de los padres demuestran su incapacidad de seguirlas, pone en evidencia su incapacidad de proteger al menor.

4. *La necesidad de generalizar los estudios y valoraciones psicológicas en todos los casos de separación y divorcio.* Para los casos en que la pareja no consigue acuerdos y la relación es conflictiva, el estudio psicológico proporciona criterios técnicos que permiten guiar las decisiones que afectan al menor.
5. *La implantación de la mediación familiar como fórmula de resolución de conflictos en parejas litigantes.*

Anexo

Reflexión para padres separados

— Si soy el padre custodio:

- ¿Facilito a mi hijo el contacto y las relaciones con su padre/madre?
- ¿Le animo a que llame a su padre/madre?
- ¿Obstaculizo el régimen de visitas?
- ¿Informo a su padre/madre de su trayectoria escolar, enviándole fotocopias de los boletines de notas, reuniones y salidas escolares?

— Si soy el padre no custodio:

- ¿Estoy presente física y emocionalmente en la vida de mi hijo?
- ¿Paso la pensión puntualmente sin quejarme ante mi hijo por ello o pedir explicaciones de en qué se gasta el dinero el otro progenitor?
- ¿Respeto el régimen de visitas asignado, avisando con antelación cualquier cambio y evitando los retrasos?

— ¿Evito tener discusiones con mi ex delante de mis hijos?
— ¿Utilizo a mis hijos para comunicarme con su padre/madre?
— ¿Propicio el poder abordar con el padre/madre de mis hijos todas las cuestiones y decisiones relativas a su educación y desarrollo?

— ¿Defiendo la imagen paterna/materna delante de mi hijo con el lenguaje verbal y no verbal?
— No permito que, en mi presencia, mis hijos o familiares tengan actitudes de falta de respeto hacia su padre/madre.
— Ante cualquier situación de maltrato físico o emocional, ¿adopto una postura personal o legal que haga sentir a mi hijo que una persona adulta le defiende y no permite situaciones dañinas para él? No hay que confundir el maltrato psicológico con el hecho de no estar de acuerdo con las pautas o comportamientos del otro progenitor.
— ¿Facilito y propicio el contacto de mi hijo con la familia de origen de mi ex?
— ¿Lo mantengo al margen de las disputas legales?
— Cuando pienso que existen cuestiones que no sé cómo abordar correctamente con mis hijos, o problemas personales que interfieren en el proceso de adaptación a la separación, ¿consulto con un profesional que me asesore?

Lecturas recomendadas

Benedek, E. y Brown, C. (1999). *Cómo ayudar a sus hijos a superar el divorcio.* Barcelona: Ediciones Médici.

El libro es una traducción y adaptación del texto elaborado por dos psiquiatras infantiles y publicado por la American Psychiatric Press. Se aborda el complejo problema de la separación y su repercusión en los hijos. A lo largo de los capítulos se tratan cuestiones relativas a la decisión de separarse, cómo explicar y minimizar el impacto de ésta sobre los niños, las reacciones más habituales, el régimen de visitas y las segundas nupcias. Hay otros capítulos dedicados al desarrollo de la autoestima, la disciplina, el apoyo social, y un último, con preguntas y respuestas de padres separados en conflicto. Es un texto claro, sencillo, con recomendaciones y pautas concretas que pueden ser de gran ayuda al lector que se encuentre en dicha situación.

Cantón Duarte, J., Cortés Arboleda, M. R. y Justicia Díaz, M. D. (2000). *Conflictos matrimoniales, divorcio y desarrollo de los hijos.* Madrid: Pirámide.

En esta obra se revisan las investigaciones publicadas en la última década sobre los factores que mediatizan el desarrollo de los hijos en relación a los conflictos matrimoniales y al divorcio. Es un libro de carácter científico, con abundantes referencias bibliográficas, muy útil para los profesionales que deseen profundizar en esta problemática. Los temas tratados incluyen cuestiones relativas a la adaptación de los hijos, los efectos a largo plazo del divorcio, las disposiciones sobre custodia y los efectos de las nuevas nupcias en los hijos.

Bird, L. (1983). *Los hijos frente al divorcio. Sus reacciones según la edad*. México: Diana.

Este libro es una guía exhaustiva enfocada a conocer el mundo emocional del niño ante la separación de los padres. Aborda temas como: los sentimientos ocultos en los hijos antes y después de la separación, las reacciones de los niños frente al divorcio en relación a su edad y sexo, la aceptación de los nuevos cónyuges, el peor momento para que los padres se separen y el peor momento para que se vuelvan a casar. Es una obra detallada y amena, con continuos relatos de casos clínicos.

Dolto, F. (1989). *Cuando los padres se separan*. Barcelona: Paidós.

En este libro la autora plantea un análisis profundo de cuestiones cruciales del proceso de ruptura de una pareja. Es una obra basada en una larga experiencia clínica, con continuos relatos de casos. Françoise Dolto se interesa principalmente por todo lo referente a la prevención de las dificultades de los niños por un mal abordaje de la separación.

Francescato, D. (1995). *Hijos felices de parejas rotas*. Barcelona: Ariel.

En el libro, la autora presenta un cuadro de cómo están cambiando los vínculos familiares y describe numerosos casos representativos que hacen muy amena su lectura: el objetivo de esta obra es ayudar a comprender la separación y a encontrar soluciones idóneas para que no tenga efectos traumáticos sobre los hijos. «¿Impiden los hijos la separación?», «Crecer con padres separados», «Desde ahora padres, nunca más compañeros», son algunos de los títulos que aparecen en el libro y que pueden ayudar a los padres que se separan.

Liberman, R. (1980). *Los hijos ante el divorcio*. Barcelona: Hogar del Libro.

Vallejo Nágera, A. (1993). *Los hijos de padres separados*. Madrid: Temas de Hoy.

En este libro la autora ha conseguido reflejar muchas de las situaciones clave que la pareja que se separa y sus hijos pueden vivir; constituye un punto de apoyo esencial para padres, ayudándoles a ponerse en el lugar del niño y entender sus reacciones emocionales y comportamentales.

Bibliografía

Ahrons, C. y Rodgers, R. (1988). The relationship between Former Spuses. En D. Perlman y S. Duck (eds.), *Intimate Relationship Development, Dynamics and Deterioration.* Londres: Sage.

Ajuriaguerra, J. (1983). *Manual de psiquiatría infantil.* Masson.

Amato, P. R., Loomis, L. S. y Booth, A. (1995). Parental divorce, marital conflict and offspring well-being during early adulthood. *Social Forces, 73,* 895-915.

Amato, P. B. y Booth, A. (1996). A prospective study of divorce and parent-child relationships. *Journal of marriage and the family, 58,* 356-365.

Amato, P. R. y Keith, B. (1991a). Parental divorce and well-being of children: A meta-analysis. *Psychological Bulletin, 110,* 26-46.

Amato, P. R. y Keith, B. (1991b). Parental divorce and adult well-being: A meta-analysis. *Journal of Marriage and the Family, 53,* 43-58.

American Psychiatric Association (1987). *Diagnostic and statistical manual of mental disorders DSM-III-R (3rd ed. rev.).* Washington: Author.

Arditti, J. A. (1992). Differences between fathers with joint custody and noncustodial fathers. *American Journal of Orthopsychiatry, 62,* 186-195.

Benedek, E. P. y Brown, C. F. (1999). *Cómo ayudar a sus hijos a superar el divorcio.* Barcelona: Ediciones Médici.

Berman, W. (1981). The role of atachment in the Post Divorce Experience. En *Journal of Personality and Social Psychology, 1,* pp. 312-328.

Bienenfeld, F. (1983): *Child Custody Mediation.* Palo Alto: Science and Behavior Books.

Bird, F. L. (1983). *Los hijos frente al divorcio. Sus reacciones según la edad.* México: Diana.

Block, J. H., Block, J. y Gierde, P. F. (1986). La personalidad del niño antes del divorcio: estudio prospectivo. *Child development,* 57, 827-840.

Bohanan, P. (1980). Marriage and divorce. En A. M. Freedman, H. J. Kaplan y B. J. Sadock (eds.), *Comprehensive textbook od Psyquiatry,* tomo III, p. 3264. Baltimore: Willians and Wilkins.

Boszormenyi-Nagy, I. y Spark, G. (1983): *Lealtades invisibles*. Buenos Aires: Amorrortu.

Braver, S. (1987). Parental reports of noncustodial parent visitation: some recent finding. American Psychological Association Convention.

Burgoyne, J. (1989). *El divorcio, los hijos y usted. Para una ruptura equilibrada.* Barcelona: Ediciones Médici.

Camara, K. A. y Resnick, G. (1988). Interparental conflict and cooperation: Factors moderating children's post-divorce adjustment. En E. M. Hetherington y J. D. Arasteh (eds.), *Impact of divorce, single parenting and stepparenting on children,* pp. 169-195. Hillsdale, NJ: Erlbaum.

Camara, K. A. y Resnick, G. (1990). Marital and parental subsystems in mother-custody, father custody and two-parent households: effects on children's social development. En J. Vincent (ed.), *Advances in family assesment, intervention and research,* vol. 7.

Cantón Duarte, J., Cortés Arboleda, M. R. y Justicia Díaz, M. D. (2000). *Conflictos matrimoniales, divorcio y desarrollo de los hijos*. Madrid: Pirámide.

Catalán Frías, M. J. (1999). *Papeles del Psicólogo, 73,* 23-26.

Cohen, L. F. y Campos, J. J. (1974). Los padres, las madres y los extraños como estímulos de las conductas de apego en la infancia. *Developmental Psychology, 10,* 146-154.

Coller, D. R. (1988). Joint custody: research, theory and policy. *Family process, 27,* 459-469.

Dolto, F. (1989): *Cuando los padres se separan*. Barcelona: Paidós.

Emery, R. E. (1982): Interparental conflict and the children of discord and divorce. *Psychological Bulletin, 92,* 310-330.

Emery, R. E. (1992): Parental divorce and chid adjustment. Presented at the University of Southern Maine's Childhood Psychopathology Institute, Gorham. Maine.

Emery, R. E. y Forehand, R. (1993): Parental divorce and children's well being: A focus on resilience. En R. J. Haggerty, M. Rutter y L. Sherrod (eds.), *Risk and resilience in Children*. Londres: Cambridge University Press.

Folberg, J. y Milne, A. (eds.) (1988). *Divorce Mediation: Theory and Practice.* Nueva York: The Guilford Press.

Forehand, R. (1993): Family psychopathology and child functioning. *Journal of Child and Family Studies,* vol. 2, núm. 2, 81-86.

Forenhad, R., Long, N. y Brody, G. (1988). Divorce and marital conflict: Relationship to adolescent competence and adjustment in early adolescence. En E. M. Hetherington y J. D. Arestah (eds.), *Impact of divorce, single parenting and stepparenting on children*, pp. 135-154. Hillsdale, NJ: Lawrence Erlbaum Associates.

Francescato, D. (1995): *Hijos felices de parejas rotas*. Barcelona: Ariel.

Frodi, A. M. y cols. (1978). Respuesta dc los padrcs y las madres a las caras y llantos de bebés normales y prematuros. *Developmental Psychology, 14*, 490-498.

Gadner, R. A. (1989). *Family evaluation in child custody mediation, arbitration and litigation*. Creskill, NJ: Creative Therapeutics.

García, A., Cervera, S., Bobes, J., Bousoño, M. y Lemos, S. (1986). Hogares disociados y psicopatología infantojuvenil. *Anales de Psiquiatría, 2*, 201-209.

Gotlib, I. H. y Avison, W. R. (1993): Children at risk for psychopathology. En C. G. Costello (ed.), *Basic issues in psychopathology*, pp. 271-319. Nueva York: Guilford Press.

Greif, G. L. (1985). *Single fathers*. Lexington: D. C. Heath.

Grisso, T. (1986). *Evaluating Competencies. Forensis Assesment and Instruments*. Nueva York: Plenum Press.

Grych, J. H. y Fincham, F. D. (1990): Marital conflict and children's adjustment: A cognitive-contextual framework. *Psychological Bulletin, 108*, 267-290.

Guidubaldi, J., Cleminshaw, H. K., Perry, J. D., Natasi, B. K. y Lightel, J. (1986): The role of selected family environment factors in children's post-divorce adjustment. *Family Relations, 35*, 141-151.

Hetherington, E. M. (1999). Should we stay together for the sake of children? En E. M. Hetherington (ed.), *Coping with divorce, single parenting, and remarriage. A risk and resiliency perspective*, pp. 93-116. Mahwah, NJ: Lawrence Erlbaum.

Hetherington, E. M. y Jodl, K. M. (1994). Stepfamilies as settings for child development. En A. Booth y J. Dunn (eds.), *Stepfamilies: Who benefits? Who does not?*, pp. 55-79. Hillsdale, NJ: Erlbaum.

Hetherington, E. M., Bridges, M. e Insabella, G. M. (1989). What matters? What does not? Five perspectives on the association between marital transitions and children's adjustment. *American Psychologist, 53*, 167-184.

Hetherington, E. M. (1993). An overview of the Virginia Longitudinal Study of Divorce and Remarriage with a focus on early adolescence. *Journal of Family Psychology, 7*, 39-56.

Hetherington, E. M. y Clingempeel, W. G. (1992). Coping with marital transitions: A family systems perpective. *Monographs of the Society for Reseach in Child Development,* 57 (2-3, Serial núm. 227).
Hetherington, M. E., Cox, M. E. y Cox, R. (1982): Effects of divorce on parents and children. En M. Lamb (ed.), *Non-traditional families,* pp. 233-288. Hillsdale, NJ: Erlbaum.
Isaacs, M., Montalvo, B. y Abelsohn, D. (1988): *Divorcio difícil. Terapia para los hijos y la familia.* Buenos Aires: Amorrortu.
Keilin, W. G. y Bloom, I. J. (1986). Child custody evaluation practices: A survey of experienced professionals. *Professional Psychology Research and Practice, 17,* 338-346.
Lawton, J. M. y Sanders, M. R. (1994). Designing effective behavioral family interventions for stepfamilies. *Clinical Pychology Review, 14,* 463-496.
Liberman, R. (1980): *Los hijos ante el divorcio.* Barcelona: Hogar del Libro.
Maccoby, E. E. y Mnnokin, R. H. (1992). *Dividing the child: social and legal dilemmas of custody.* Cambridge, MA: Harvard University Press.
Maccoby, E. E., Buchanan, C. M., Mnnokin, R. H. y Dornbusch, S. M. (1993). Post-divorce roles of mothers and fathers in the lives of their children. *Journal of family Psychology,* 7, 24-38.
Martín, C. (1997). *L'après divorce: Lien familial et vulnérabilité.* Quebec: PUL.
Martín, S. (1993): Psicología Forense en los Juzgados de Familia. En J. Urra y B. Vázquez (comps.), *Manual de psicología forense,* pp. 85-118. Madrid: Siglo XXI.
Mitchell, A. (1985). *Children in the middle.* Londres: Tavistock.
Mussetto, A. *Dilemmas in child custody.* Chicago: Wilson-Hall.
Neugebauer, R. (1988). Divorce, custody and visitation: the child's point of view. *Journal of divorce, 12,* 153-168.
Palacios, J. (2000). En J. Cantón Duarte, M. R. Cortés Arboleda y M. D. Justicia Díaz, *Conflictos matrimoniales, divorcio y desarrollo de los hijos.* Madrid: Pirámide.
Pedreira, J. L. y Lindstrom, B. (1995): En Rodríguez Sacristán. *Psicopatología del niño y del adolescente. Aspectos psicopatológicos de los niños en situaciones de divorcio.* Universidad de Sevilla. Secretariado de Publicaciones.
Ramírez González, M. (1992). Los hijos como objeto de evaluación en los procesos de custodia disputada. *Anuario de Psicología Jurídica,* 61-69.
Rodríguez, C. y Ávila, A. (1999). *Evaluación, psicopatología y tratamiento en Psicología Forense.* Fundación Universidad-Empresa.
Rojas Marcos, L. (1994): *La pareja rota. Familia, crisis y superación.* Madrid: Espasa.

Ruiz Becerril, D. (1999). *Después del divorcio. Los efectos de la ruptura matrimonial en España*. Monografía n.° 169. Siglo XXI.

Santrock, J. W. y Warshak, R. A. (1979). Father custody and social development in boys and girls. *Journal of Social Issues, 35,* 112-125.

Schaffer, H. R. (1994). *Decisiones sobre la infancia*. Visor.

Seltzer, J. A. (1991). Relationships between fathers and children who live apart: the father's role after separation. *Journal of marriage and the family, 53,* 79-101.

Turkat, I. D. (1994). Child visitation interference in divorce. *Clinical Pychological Review, 14,* 737-742.

Turkat, I. D. (1995). Divorce related malicious mother syndrome. *Journal of family violence, 10,* 253-264.

Tzeng, J. M. y Mare, R. D. (1995). Labor market and socioeconomic effects on marital stability. *Social Science Research, 24,* 329-351

Urra, J. y Vázquez, B. (comps.) (1993). *Manual de psicología forense*. Madrid: Siglo XXI.

Vallejo Nágera, A. (1993): *Los hijos de padres separados*. Madrid: Temas de Hoy.

Wallerstein, J. S. (1983). Children of divorce: Stress and developmental tasks. En N. Garmemezy y M. Rutter (eds.), *Stres, coping and development in children*, pp. 265-302. Nueva York: McGraw-Hill.

Zill, N., Morrison, D. R. y Coiro, M. J. (1993). Long-term effects of parental divorce on parent-child relationships, adjustment and achievement in young adulthood. *Journal of Family Psychology, 7,* 91-103.